Olivier Adam
Je vais bien, ne t'en fais pas

Présentation, notes, questions et après-texte établis par

MICHÈLE SENDRE-HAÏDAR
inspecteur de l'Éducation nationale

Couverture
Conception graphique : Marie-Astrid Bailly-Maître
Photographie : Extraite du film *Je vais bien, ne t'en fais pas* de Philippe Lioret (2006) avec Mélanie Laurent, Kad Merad et Isabelle Renauld, © TCD

Intérieur
Conception graphique : Marie-Astrid Bailly-Maître
Édition : Guénolée Dupart
Réalisation : Nord Compo, Villeneuve-d'Ascq

www.magnard.fr
www.classiquesetcontemporains.com

Sommaire

PRÉSENTATION 5

JE VAIS BIEN, NE T'EN FAIS PAS
Texte intégral 9

Après-texte

POUR COMPRENDRE
Étapes 1 à 6 (questions) 144

GROUPEMENT DE TEXTES
Disparitions... 156

INFORMATION / DOCUMENTATION
Bibliographie 160

PRÉSENTATION

Olivier Adam est né en 1974 en région parisienne ; plus précisément, à Draveil, dans l'Essonne. Après des études de gestion en entreprises culturelles, il se lance dans l'écriture durant une période de sa vie qualifiée de « trou noir ». Il commence par écrire des chansons puis de la poésie. Sa participation, en 1999, à la création du festival littéraire Les Correspondances de Manosque puis la parution de son premier roman *Je vais bien, ne t'en fais pas*, en 2000, augurent des succès à venir. Son deuxième roman, *À l'ouest* (2001), poursuit son diptyque sur le thème de la disparition. D'autres œuvres romanesques le consacrent comme un écrivain majeur de sa génération : *Poids léger* (2002), *Passer l'hiver* (prix Goncourt de la nouvelle 2004 et prix des Éditeurs 2004), *Falaises* (2005, sélectionné dans treize prix littéraires sans obtenir toutefois de récompense), *À l'abri de rien* (prix du Premier prix 2007 et favori du prix Goncourt 2007). C'est aussi un auteur reconnu de la littérature jeunesse : *On ira voir la mer* (2002), *La Messe anniversaire* (2003), *Sous la pluie* (2004), *Comme les doigts de la main* et *Le Jour où j'ai cassé le château de Chambord* (2005).

Depuis 2003, il associe à ses activités d'écrivain celles de directeur de collection aux Éditions du Rouergue, d'animateur d'ateliers d'écriture en milieu scolaire et de scénariste pour les adaptations de ses propres récits ou pour d'autres films. L'adaptation cinématographique du roman *Je vais bien, ne t'en fais pas*, en 2006, coscénarisé par le réalisateur Philippe Lioret et Olivier Adam, sera récompensée par deux césars.

Les personnages du romancier, ancrés dans la vie d'aujourd'hui, sont souvent confrontés à des difficultés sociales et/ou à des histoires d'absence, de deuils, de famille, que l'auteur qualifie lui-même de « refuge » ou « d'endroit toxique » ! Il affirme également : « Mes personnages sont toujours des gens qui sont tout prêts de tomber et qui se relèvent. » L'héroïne, Claire, dans *Je vais bien, ne t'en fais pas*, en est la parfaite illustration. Elle pourrait reprendre à son compte les propos de Sarah, l'héroïne du roman *Le Cœur régulier*, paru en 2010 : « Personne n'a envie de mourir. Tout le monde veut vivre. Seulement, à certaines périodes de votre vie, ça devient juste impossible. »

Olivier Adam vit actuellement à Saint-Malo où il continue de « se frotter au monde et à la vie, de mettre les mains dans le cambouis, dans la boue de l'humain, du réel, des sentiments, du social, de l'intime, du politique ».

Olivier Adam

Je vais bien, ne t'en fais pas

Pour Karine
À mes parents

I

Claire claque la porte et tourne les clés.

Il est dix heures. Elle commence à onze. Le Shopi ferme à vingt et une heures, elle fait la fermeture. Elle descend les escaliers quatre à quatre. Au kiosque, elle achète *Libé*[1]. Il fait déjà chaud et elle ôte son gilet. La brasserie où elle a ses habitudes est fermée. C'est le mois d'août. Elle entre dans un petit café où trois vieux discutent football, devant leur troisième ballon de rouge. La patronne la salue à peine, la fait répéter deux fois lorsqu'elle commande son café et son croissant. Elle étale son journal sur la table, va directement à la page des annonces. Avec Loïc, ils lisaient toujours cette page, alors elle se dit qu'il pensera peut-être à lui laisser un message. Le café est très chaud. Elle se brûle un peu, repose la tasse, souffle sur une mèche. Elle a relevé ses cheveux presque roux et très lisses en une sorte de chignon flou et artistique. Elle se voit dans le miroir. Les vieux la regardent. Machinalement, elle amorce le geste de tirer sur sa jupe. Mais aujourd'hui, elle porte un pantalon. Les vieux s'échangent vaguement quelques tuyaux, cochent les cases d'un bulletin de PMU[2]. Claire feuillette son journal. Très distraite-

1. Abréviation du quotidien national *Libération*.
2. PMU : Pari mutuel urbain. Jeu de paris sur des courses de chevaux.

20 ment. Elle grimace un peu en finissant son café. Juste au moment où elle avale le petit dépôt de sucre qui est resté au fond. Elle pose quelques pièces de monnaie près de sa tasse, se lève et s'en va. Elle dit au revoir. Personne ne lui répond.

Nadia est toute seule aux caisses. Avant onze heures, il n'y a pas grand monde. Juste les vieux du quartier avec leurs cabas à carreaux rouges et noirs. Claire s'installe. Nadia lui raconte sa soirée, comme tous les matins. Elle est cassée. Elle s'est couchée à quatre heures du matin. Et pas toute seule. Elle a ramené un grand type bourré de muscles. Ils ont dansé au moins deux heures l'un en face de l'autre, les yeux dans les yeux, la sueur au front. C'était une nuit latino. Ils se sont rapprochés, puis ont dansé l'un contre l'autre. Vous allez vous revoir ? demande Claire. Non, dit Nadia. Je sais même pas son nom, il ne m'a pas laissé de téléphone. Mais je lui ai laissé mon adresse. À tout hasard. Et toi, ta soirée ? Oh rien de spécial. Bouquiné un peu, regardé la télé, colin surgelé haricots verts, écouté Manu Chao, cinéma à vingt-deux heures au Pathé Wepler, rentrée, dormi…

Pommes golden, Décap' Four, un paquet d'Ariel petit format, papier toilette Moltonel, gel douche Ushuaïa, pâte à tarte feuilletée Herta, jus de pomme Pampryl, pistaches Bahlsen, tomates en grappes, fourme d'Ambert, lardons, une bouteille de Ballantine's, deux aubergines, un sachet de gruyère râpé, des crèmes à la noix de coco Gervais (les crèmes renversantes, nouveau !), voilà, ça vous fera deux cent soixante-trois francs et trente centimes, vous pouvez taper votre code, merci, au revoir, merci, bonne journée à vous aussi.

T'as vu comment il te regardait, dit Nadia. Non, j'ai pas remarqué. Tu remarques jamais rien. Ce type, ma parole, c'était un putain de canon, Claire. J'ai pas fait attention, je te dis, je regarde le code-barres, moi, c'est tout. Bonjour madame. Six œufs, un paquet de pommes de terre à frites, beurre Elle & Vire, trois bouteilles de Coca, huile tournesol, trois paquets de spaghettis Panzani, un paquet de riz Uncle Ben's, un rosbif, un grand pot de crème fraîche Bridélice, trois Yabon grand format, deux Danette familiales, à la vanille, trois riz au lait La Laitière, quatre paquets de chips Vico, un saucisson Justin Bridou. Voilà, deux cent quatre-vingt-treize francs et cinq centimes, vous n'avez pas trois francs, c'est pas grave, au revoir madame, bonne journée. Putain, mate-moi ce cul, pouffe Nadia. Un peu trop fort. La grosse revient, furieuse. Elle veut parler au directeur. Elle fulmine, exige tout ce qu'elle peut, transpire tout autant. Nadia appelle au micro : « Monsieur Robert est demandé caisse quatre. » Monsieur Robert arrive, affable, écoute la grosse dame se plaindre, se confond en excuses, fusille Nadia du regard, promet que ça ne se reproduira pas. La grosse ajoute que de toute façon, c'est toujours pareil avec les étrangères, surtout les Arabes. Ça n'a rien à voir, dit doucement M. Robert, en lui souriant. La dame s'en va. Monsieur Robert regarde Nadia. Quelle grosse conne, il souffle, et puis il repart dans ses bureaux, replace un paquet de Pringles rouge au passage.

Il est dix-neuf heures. C'est la ruée. Les gens sortent du boulot et font leurs courses avant de rentrer. Ils sont pressés, fatigués, énervés de faire la queue, souvent pour peu d'articles. Claire se concentre, essaie de ne pas se tromper. Elle a mal au crâne. Nadia est partie. À la caisse d'à côté, Maud l'a remplacée. Maud ne dit jamais rien. C'est une grosse à lunettes avec un air un peu niais. Claire a un serrement de gorge ou de cœur. Elle a repéré ce type, dans la file. Un genre de mec louche qui a passé l'après-midi devant l'entrée du Shopi à insulter les passants et à la regarder, elle, en criant des mots qu'elle ne comprenait pas, en agitant ses mains, ses bras. Claire a eu peur, en a touché deux mots au vigile, qui a répondu qu'il était là pour s'occuper des vols à la tire, pas pour faire la police dans la rue. Sur ce, il est remonté au rayon des légumes où, c'est bien connu, frappent les malfrats, obscurs revendeurs de poireaux et de raisins en grappes. Claire en a parlé à Maud, qui n'a rien répondu.

Il reste juste deux clients avant lui, et le type la regarde fixement en marmonnant des trucs entre ses dents serrées, et qui le font baver un peu. Plus il avance, plus il parle fort, et plus Claire comprend qu'il l'insulte vraiment, qu'il la traite de salope et de petite pute. Voilà, c'est son tour, il n'a rien dans son panier. Claire lui dit bonjour, très doucement, avec un sourire, et l'autre con se met à gueuler, à vomir ses « grosse salope », « grosse pute », se met à taper comme un abruti sur la caisse en hurlant. Ses yeux sont vraiment pleins de sang, il est tout rouge et Claire pleure. Elle met ses bras en croix et protège son visage en se baissant un peu. Personne ne bouge, personne ne dit rien. Le vigile surveille les brocolis, les gens font tranquillement la queue, changent de file ou font mine d'avoir oublié le gruyère râpé avant de s'enfoncer à nouveau dans les rayons. On sait bien qu'ils rejoignent l'autre série de caisses, celle qui donne sur la rue Notre-Dame-de-Lorette.

Claire n'en peut plus, elle court vers la sortie, entre dans le premier café. Tout le monde la regarde. Elle est affolée, elle sanglote en hoquetant et son corps tremble. Sur sa blouse blanche, on voit bien le logo bleu et jaune de Shopi. Un garçon s'approche, lui dit de s'asseoir, tranquillement, là, au fond, près des deux vieilles qui sirotent un thé accompagné des biscuits qu'elles ont sortis de leur cabas. On lui apporte un chocolat qu'elle ne boira pas ou à peine. Qu'elle ne paiera pas non plus. Elle tente de se calmer. De reprendre son souffle. Avant de regagner sa caisse, elle demande au garçon d'aller voir au Shopi si tout est calme. Par la vitre, Claire voit les néons bleus d'une voiture de police, arrivée trop tard. Le garçon la rassure, la raccompagne jusqu'à sa caisse. Très vite une file se forme, composée d'impatients bien contents d'avoir repéré avant tout le monde la réouverture de la caisse numéro quatre, laissant échapper des « ah ! quand même » excédés. Claire les comprend. 50 C'est jamais marrant de faire la queue après une journée de travail.

Vingt et une heures. Fermer la caisse. Claire a les yeux pleins d'étiquettes, la tête farcie de codes-barres.

Il fait encore chaud. On voit des couples sortir de leur tanière. Douche, maquillage, un petit whisky et les voilà repartis tout frais tout propres. Claire ouvre la porte. C'est un peu le bordel. Le canapé-lit est ouvert. Il y a une assiette sale et un verre qui traînent sur la moquette. Une culotte blanche et un soutien-gorge jaune à fleurs mauves dans un coin. Dans la petite cuisine ce n'est pas mieux. De la vaisselle dans l'évier, les plaques et le frigo pas très nets. Ce n'est pas grave, demain c'est jeudi, Claire commence à treize heures. Elle rangera un peu, ira nager une heure environ à la piscine Georges-Drigny, toute proche, avant de faire rouler les tapis, d'ouvrir et de fermer la caisse, de passer le rayon rouge horizontal sur les codes-barres des pots de moutarde, de taper le prix des fruits et légumes, de s'en souvenir pour les articles à la pièce (douze francs l'ananas, promotion de la semaine, quatre francs quatre-vingt-quinze l'avocat, quatre francs cinquante le concombre, sept francs quatre-vingt-dix la botte de petits oignons blancs, cinq francs vingt la botte de persil…). Claire met un disque. Elle se prépare un café. Assise à la table du coin-cuisine, elle feuillette un catalogue de meubles en kit aux lignes suédoises. Elle cherche un filtre qu'elle ne trouve pas. Le café a un goût de Sopalin. Elle y touche à peine. Si elle avait trois sous devant elle, elle se

paierait bien cette petite commode (un truc pour enfant, en bois blanc). On sonne. Claire décroche l'interphone. C'est
25 Nadia. Elle se change à toute vitesse, quitte son vieux bas de survêtement vert molletonné contre un pantalon noir, le tee-shirt Naf Naf trop grand et usé pour un Petit Bateau, taille seize ans, résolument petit et collé à sa peau très pâle.

Claire se sent mal à l'aise. Elle ne sait pas quoi dire. Elle se sent bête. Elle n'a pas d'avis sur les questions que se posent Nadia et ses amies. Elle n'aime pas trop le quartier non plus, ni le café, rempli d'étudiants un peu bruyants. Nadia l'a convaincue de la suivre. Elle est avec quatre copines de fac. Elles vont à une fête, près du Luxembourg. Il n'est que vingt-deux heures quarante-cinq. Nadia dit qu'avant vingt-trois heures trente, minuit, c'est pas la peine d'y aller. Alors elles prennent un verre, font connaissance. En fait elles se connaissent déjà et se foutent de Claire. Nadia travaille chez Shopi juste pour l'été, histoire de se faire un peu d'argent de poche. En septembre, elle prépare un DEA[1] sociologie ou quelque chose dans le genre. Les autres étudient la littérature, le marketing, la finance ou l'histoire. Une d'entre elles demande à Claire ce qu'elle fait en vrai dans la vie. Claire répond caissière. C'est mon métier. Après ça personne ne lui adresse plus la parole, à part Nadia, qui lui demande comment elle va, lui fait des sourires, lui lance des regards.

Près du Luxembourg, on pourrait faire du vélo dans les

---

1. Diplôme d'études approfondies. Correspond aujourd'hui à un master deuxième année.

20 appartements, des tableaux abstraits sont accrochés aux murs. De jeunes minets vomissent leur vodka, évaluent leurs ambitions financières en vue de leur imminente entrée sur le marché du travail, parlent de refuser toute offre à moins de deux cents kilofrancs annuels. Ils ne se sont pas emmerdés pour rien,
25 tout de même, après toutes ces années d'études. Les autres n'avaient qu'à faire pareil, après tout. L'inégalité des chances, c'est de la branlette, chacun a la possibilité égale de réussir, de saisir sa chance. C'est quand même pas notre faute si les bougnoules[1] en banlieue sont trop cons à faire les marioles[2] pen-
30 dant les cours. Après ils ont l'air de quoi. Les garçons deviennent dealers, les filles caissières au supermarché et basta, ils ne peuvent s'en prendre qu'à eux-mêmes.

Claire marche doucement sur le parquet vernis, un verre à la main, tend l'oreille aux conversations des jeunes gens. Ici on
35 prononce le mot « banlieue » avec un air de compassion, « gens de couleur » avec une affectation[3] toute catholique. Ailleurs on prend moins de gants, ailleurs encore, un phraseur[4] littéraire embobine une très jolie jeune fille avec des seins trop découverts. Dans un coin, un jeune homme qui se dit de gauche est
40 l'attraction locale, il tente de défendre ses positions avec maladresse. Partout, on devine dans les poches des téléphones

1. Terme raciste et péjoratif pour désigner les Arabes.
2. Faire les malins.
3. Comportement non naturel.
4. Personne qui s'exprime avec grandiloquence, qui s'écoute parler.

mobiles prêts à sonner, on affiche l'école d'où l'on sort, où l'on entre, comme un passeport ou un signe de reconnaissance, on évoque le passé chez les louveteaux[1]…

45 Ailleurs encore, on parle culture, démocratisation, une fille rappelle que la plupart des gens ne lisent pas, ne vont jamais au cinéma, enfin dans les milieux populaires, bien sûr. La caissière du supermarché, eh bien, le soir elle rentre chez elle, va au chinois ou à une pizzeria le long de la Nationale, elle regarde *Les*
50 *Feux de l'amour* ou le grand téléfilm du soir sur M6. Ah, ah, ah, qu'est-ce qu'on se marre… Claire cherche Nadia du regard. Ne la trouve pas, va danser. On passe un morceau de Björk, elle retient ses larmes, et puis non elle n'y arrive pas, elle tente de s'éclipser, s'engouffre dans un couloir, ouvre une porte, tu veux
55 venir, ils sont déjà quatre et Claire ne sait pas à qui appartient tel sein, telle touffe de poils ou tel bras, elle referme la porte, ailleurs un couple gay s'embrasse tendrement, plus loin, la cravate sur l'épaule, un type descend une bouteille de whisky près d'une rousse aux narines bourrées de cocaïne. Entre ses seins pen-
60 douille un crucifix. En voyant Claire elle referme les boutons défaits de son chemisier, réajuste son foulard et lance un regard qui se veut noir, mais qui au final se révèle plutôt ahuri. Enfin une pièce où il n'y a personne. Claire a trop bu, elle a envie de vomir. La chambre fait la taille de son appartement. Elle pense

---

1. Les très jeunes scouts (organisation de jeunesse d'obédience catholique).

65 à Irène et Paul, ses parents, à leur F2, cité des Bergeries, juste avant le pavillon, à Loïc, quand ils jouaient ensemble, maman faisait la cuisine, papa n'était pas rentré du travail, on avait fait les devoirs et la télévision était allumée pour personne.

Claire ressort, traverse la piste de danse où règne une odeur 70 de transpiration et de parfum Calvin Klein. Tout le monde là-dedans est très beau, très bien habillé. Claire va sur le balcon où des filles court vêtues aux jambes aussi longues que bronzées discutent mariage, amour, gloire et beauté. Claire prend l'air. Un type très mince, plutôt grand, brun, avec un visage aux 75 traits si fins qu'ils en paraissent juvéniles ou féminins, s'approche. Je ne connais personne, dit-il. Je m'ennuie un peu. Moi aussi, répond Claire. On se tire ? Ils partent sans dire au revoir. Personne ne fait attention à eux. Personne ne fait attention à personne. Chacun est bien trop occupé à faire impression. 80 Benoît, je m'appelle Benoît, j'habite là, en fait, c'est mon frère qui a organisé la soirée. Enchantée, Claire. Tu fais quoi dans la vie, Claire. Je suis caissière. Ah ouais, où ça, à Paris ? Oui, dans le neuvième. En fait tu sais je t'avais repérée dès le début de la soirée. Je t'ai suivie un peu partout mais tu ne m'as pas vu. 85 L'ascenseur descend. Benoît l'arrête. Il fait noir. Ils s'embrassent. Claire sent les mains de Benoît, sur ses seins, puis sa bouche. Les mains de Benoît se glissent sous sa jupe, caressent doucement ses fesses, frôlent son pubis. Claire entrouvre la chemise de Benoît, embrasse son ventre, elle déboutonne son pantalon, prend son sexe dans sa bouche, qui gonfle et devient dur. Benoît souffle très fort. Claire remonte sur son ventre. Elle prend la main de Benoît, la glisse dans son slip et ferme les yeux. Benoît retire sa main. Il dit « encore » en posant ses mains sur la tête de Claire. Claire reprend son sexe dans sa bouche. Les doigts de Benoît dans ses cheveux lui font mal. Elle relève la tête. Encore, putain, t'arrête pas. Benoît tient la tête de Claire avec dureté, avec violence. Là-haut on frappe aux portes. On entend des cris. C'est quoi ce bordel, là-dedans. Benoît enclenche le bouton de démarrage. Assise dans un coin, Claire est en sanglots. Benoît ne la regarde pas. Les portes s'ouvrent et Benoît laisse tomber un billet de cinq cents francs. Claire vomit.

Il est neuf heures. Claire a mal à la tête. Elle se prépare un café, deux cuillers dans le filtre mouillé. Un grand bol vert et bleu. Claire n'a pas le courage de ranger. Elle tire de l'armoire une serviette-éponge jaune, son maillot une pièce noir, son bonnet de bain. Elle repense à Benoît. Elle n'avait rien vu venir. Loïc aurait su, l'aurait prévenue.

Quand elle entre dans l'eau, c'est très doux. Tout s'efface. Son cerveau se vide, récuré à la Javel, ressoudé au chlore. Elle aligne les longueurs en les comptant. Un type nage tout près d'elle, la suit. Elle nage trop vite pour lui. Il décroche. Quand elle sort de l'eau, on voit bien qu'elle est très belle, très fragile. Elle enlève son bonnet, secoue doucement la tête. Elle a quand même un petit air un peu triste.

En redescendant les rues, elle fredonne un air à la con, s'arrête au Franprix, achète juste une pomme granny. Elle a les yeux rouges. C'est le chlore, dit-elle au caissier, parce qu'elle voit bien qu'il pense qu'elle a pleuré. Ou qu'elle pleure. Il n'a peut-être pas tort, au fond. Il se peut bien qu'aux larmes d'irritation s'en soient mêlées d'autres, de fatigue, de lassitude.

Quatre bouteilles de bordeaux recommandées par Jean-Luc Pouteau, meilleur sommelier du monde, viande des Grisons Reflets de France, un sachet de Mini Babybel, une bouteille de Mr. Propre, Vizir et sa Vizirette, un gratin de courgettes surgelé Findus, deux concombres, un pot de cannelle, un paquet de papier-toilette parfum lavande, un sachet de noix, trois plaques de chocolat noir soixante-dix pour cent de cacao Lindt, deux paquets de glaces Gervais, un vanille un pistache, un paquet de Dragibus, deux paquets de cookies Hello ! de LU, voilà, trois cent un francs et vingt centimes, oui je finis vers vingt heures, non désolée, ce soir je suis prise, vous pouvez composer votre code, demain soir non plus, je pars en vacances, je sais pas encore, non je n'ai pas de place pour vous dans ma voiture, j'ai une petite voiture et j'emmène toute ma garde-robe, vous savez comment sont les filles… Bonne journée.

Nadia vient de s'installer. Elle adresse un sourire gêné à Claire. Je suis désolée. Si j'avais vu que Benoît traînait dans les parages, je t'aurais prévenue. Je n'avais même pas vu que tu étais partie.

Quand Benoît est revenu, il s'est dirigé droit vers Nadia.

– Ta copine, non seulement elle est niaise, mais en plus elle avale pas.

– Connard, a dit Nadia. T'es vraiment qu'un sale connard de merde.

25 – Ta gueule, j'ai pas de leçon à recevoir d'une putain de beurette. Retourne dans ta banlieue de merde si t'es pas contente.

Nadia lui a craché à la gueule et puis elle est partie.

C'est un con de fasciste, a dit Nadia. Claire s'est demandé si elle ne disait pas ça pour elle-même. Tu viens ce soir, dit Nadia,

30 il y a une soirée cubaine, près des Halles.

Quand Claire sort du Shopi, un type se dirige vers elle. Alors vous êtes vraiment sûre que vous ne voulez pas prendre un verre avec moi. Vous avez eu le temps de réfléchir, depuis ce matin. Vous savez, je fais jamais ça. Enfin, on doit vous dire ça tout le 5 temps. Mais vous me plaisez vraiment. J'ai envie de vous connaître, de discuter. Claire dit qu'elle est fatiguée, qu'elle rentre chez elle. Tant pis, dit-il, avec un sourire résigné. Claire lui trouve un air sincère. Elle s'éloigne. Elle marche vite. Il lui plaisait bien ce type, mais comment savoir. Elle ne sait jamais 10 comment faire. Elle se méfie toujours trop, ou alors pas assez. Si Loïc était là, ce serait plus facile.

Quatre étages. C'est toujours le bordel. Claire enfile un vieux survêtement rose bonbon. Elle met Manu Chao, ça lui rappelle Loïc, les soirées, les nuits à dormir à vingt chez un copain, 15 quand les parents ne sont pas là. Elle passe une éponge sur les plaques, fait la vaisselle. Quatre assiettes, toutes blanches, deux poêles rayées, des couverts en pagaille, des verres à moutarde avec les Simpsons, Astérix, Zinedine Zidane. Elle se fait une infusion, menthe réglisse, saveurs du soir espoir. Il est tard pour 20 passer l'aspirateur, alors elle se contente de faire du rangement, une lessive rapide. Elle bâille un peu. Le téléphone sonne. C'est

Irène, sa mère. Oui, ça va, et toi. Oui, je passe demain soir. OK. Embrasse papa… Irène raccroche. Elle regagne le salon. Ta fille vient demain. Ah, fait Paul. La musique est trop forte 25 pour Irène. Paul râle un peu mais finit par baisser. Il dit à Irène qu'il est content.

– Moi aussi, elle me manque.

– Je sais…

– Ça vous fera trois cent deux francs et dix centimes.
– Vous êtes sûre ?
Claire tend le ticket.
– Oui, vous pouvez vérifier.
5 En face d'elle, la femme porte un tailleur élégant, signé par trois lettres emmêlées, et son brushing est récent. Elle a des lunettes rosées trop grandes pour son visage et sa broche, Yves Saint Laurent elle aussi, est très laide. Ce n'est pas le genre à demander : « Vous êtes sûre ? » En général, c'est plutôt le truc
10 des vieilles rabougries ou des papis de onze heures, tout droit sortis du bar-tabac un peu plus bas. Ils marchandent toujours, râlent, se méfient. Ça leur fait de l'animation, l'occasion de discuter. Après ça, entre eux, ils font l'inventaire de toutes les misères que leur font subir les commerçants de la rue des
15 Martyrs. Claire lui fait un grand sourire. L'autre ne le lui rend pas, lui tourne le dos (avec mépris) et balance les carreaux de sa jupe jusqu'à la sortie. Bonjour, une boîte de sardines à l'huile, quatre yaourts maigres, une barquette de margarine, trois pommes de terre. Voilà, vingt-huit francs et quarante centimes.
20 La vieille fouille dans son porte-monnaie. Ses mains tremblent. Claire lui dit qu'elle va l'aider. Elle prend le porte-monnaie, en extrait la somme exacte. Merci ma petite, vous êtes bien gen-

tille. Elle repart à petits pas, très voûtée et très lente. Après c'est un jeune couple. Claire les aime bien. Elle ne les connaît pas, 25 mais elle les aime bien. Ils ont emménagé récemment dans le quartier. Ils viennent deux ou trois fois par semaine. Souvent c'est le lundi pour les grosses courses, le samedi pour compléter et puis une fois en semaine où ils achètent de quoi composer un dîner pour cinq ou six. Ils prennent toujours la caisse de 30 Claire et lui disent bonjour avec un vrai sourire. Derrière eux la queue grandit. Claire annonce que sa caisse va fermer. Les gens râlent. Il est bientôt dix-sept heures. C'est vendredi. Premier soir de congé. Dix jours dans la fin de l'été. Quand Claire s'en va, Nadia et Maud lui souhaitent de bonnes 35 vacances.

– Tu vas où ?

– Je ne sais pas encore, on verra…

Claire remonte doucement la rue des Martyrs. La voiture qu'elle a louée pour une semaine est disponible aux alentours de dix-huit heures. Les poulets rôtissent, et se mélangent à l'odeur assez forte qui sort du fromager. Les maraîchers guettent le client, qui se fait rare. Arrivée à l'angle de l'avenue Trudaine, sur la placette arborée, elle pousse la porte de son immeuble, grimpe les quatre étages, entre dans son appartement. Tout est rangé, le sac de voyage trône au centre du tapis. Claire prend ses lunettes de soleil, avale une gorgée de Coca, prend le sac et repart. Arrivée en bas, elle se dit qu'elle aurait dû passer à la librairie d'abord, qu'elle est un peu encombrée, là. Tant pis, elle y va quand même. Choisir de quoi lire pendant les vacances. Elle pousse la porte de L'Atelier. La libraire la reconnaît, la salue. Claire regarde les piles. Elle se dirige vers la table « romans français ». Comme toujours, elle ne sait pas trop quoi choisir. Avant, c'était toujours Loïc qui achetait les livres. Il les lisait. Si ça lui plaisait, il demandait à Claire de les lire. Claire ne se souvient jamais du nom des auteurs, confond les maisons d'édition. La libraire vient à son secours. Elle a remplacé Loïc, sur ce point. Elle n'a pas les goûts aussi sûrs, mais sans elle, Claire repartirait sans rien acheter, comme elle fait toujours dans les autres librairies, où elle n'ose pas s'adresser aux

vendeurs. Claire ne dit pas que c'est pour les vacances, parce que les gens s'imaginent toujours que pendant les vacances on
25 n'a envie de lire que des gros pavés romanesques, des machins à l'eau de rose[1], ou des trucs égyptiens. Elle demande trois bons livres. Elle plonge le sachet dans son sac, entre le duvet et ses vêtements. En prenant l'avenue Trudaine elle se dirige vers le quartier de la gare du Nord. Elle rattrape la rue de Maubeuge.
30 Dans le bureau du loueur, une affiche se plaint des dispositions législatives visant à interdire l'immatriculation dans le 51. Le type qui lui fait remplir les papiers n'arrête pas de faire des blagues à la con. Claire sourit vaguement pour ne pas le froisser. Lui la regarde avec insistance, lui demande où elle part
35 comme ça. Elle ne sait pas. Il trouve ça très poétique de partir comme ça à l'aventure. On lui fait faire le tour de la Clio bordeaux. C'est un modèle de série limitée : Clio Chipie. Claire aime bien ça comme nom de voiture : Clio Chipie. Elle demande s'il y a un autoradio. Le type enclenche le bouton et
40 un animateur débile se fait entendre jusque sur le trottoir. Claire s'installe au volant Elle pense qu'elle a pris des CD pour rien. De toute façon, elle n'a pas de cassettes. Elle en prendra quelques-unes dans la chambre de Loïc, tout à l'heure.

1. Histoires sentimentales sans grandes qualités littéraires.

Sur le périphérique, Claire n'ose pas trop quitter la filc de droite. En même temps, c'est un endroit assez dangereux, les voitures se croisent, se rabattent au dernier moment pour ne pas louper la sortie. Mais Claire préfère ne pas rater l'embranchement avec l'A6. Elle conduit rarement, ignore exactement où elle se situe. Un vague souvenir issu des retours en voiture, de journées parisiennes et familiales. Les Champs-Élysées, la Pizza di Roma, le Gaumont Ambassade avec le grand écran, les Tuileries, les bateaux dans le bassin. On pousse jusqu'à la pyramide. Son père se moque de ceux qui avaient hurlé au ciel lorsque François Mitterrand avait annoncé cette construction. Il en rigole encore. On repart en sens inverse. Parking souterrain, rond-point de l'Arc de triomphe, avenue Foch, porte Dauphine périphérique sud embranchement A6, direction Évry Lyon, vers la porte de Versailles ou d'Orléans. On peut aussi prendre la N7 au niveau de la porte d'Italie, mais on se tape un maximum de feux rouges, surtout aux alentours de Villejuif, L'Haÿ-les-Roses. Claire a pris l'autoroute, surveille l'embranchement vers la N7 juste avant de passer sous l'aéroport d'Orly. Un avion décolle. Claire conduit penchée en avant, les épaules rentrées, levant légèrement les yeux pour le voir. On longe des magasins alignés. Halle aux chaussures, Cuir

Center, Centre Leclerc, Luminaires, Lapeyre, Saint-Maclou, Conforama. À la perpendiculaire, des rues s'enfoncent au cœur
25 de Paray-Vieille-Poste, d'Athis-Mons ou de Juvisy. Tout au long de la nationale, encore longtemps comme ça, on trouve ces cubes étranges, des panneaux d'affichage en 4 x 3, des lampadaires immenses, des pizzerias et des restaurants chinois minables, des McDonald's, des Quick, des concessionnaires
30 Renault, Peugeot, Honda, des enseignes Midas. Ça ressemble aux abords des villes de province, on aperçoit les cités HLM[1], mais répétées à l'infini, durant des kilomètres et des kilomètres. Parkings, supermarchés, bars douteux, comme ça longtemps dans le trajet des automobiles. Claire connaît bien ce paysage.
35 Elle sait qu'à l'opposé, là-haut vers Saint-Denis, ou à l'ouest vers Nanterre, on trouve exactement les mêmes artères. Là-bas le cœur des villes est aussi le cœur de nulle part. Petits pavillons aux jardins trop maigres, rues aux trottoirs vaguement bordés d'arbres malades, aux feuilles d'un mauvais rouge. Un peu
40 cachées, les cités HLM, un peu plus loin les zones industrielles, les zones d'activités pour les villes plus chanceuses. Les maisons ne se ressemblent pas. Rien ne ressemble à rien. La vie bat quand même, ici comme ailleurs.

---

1. Habitation à loyer modéré.

Claire entre dans D., petite ville à peine embourgeoisée, hésitant encore entre un souvenir de ruralité et une évidente modernité. Elle traverse le centre-ville, passe tout près de son ancien collège, le collège Alphonse-Daudet, des vieux préfabriqués bleus, en face des tennis défoncés et engrillagés. Elle passe au large, ne voit pas que tout a été refait. Les rues sont désertes et Claire longe la forêt de Sénart, passe devant la zone d'activités, cubes de tôle, architectures de métal, puis devant le supermarché Atac, un hard-discounter. On est tout près des Bergeries, la cité HLM où habitait Claire quand elle était petite. Quand elle est entrée en quatrième, ils ont déménagé pour un petit pavillon, au milieu de pavillons tous pareils. On n'appelle pas ça une cité mais une résidence. Celle où Claire a vécu ne dispose pas d'espaces verts, de cours d'eau, de lieux boisés. C'est une résidence bas de gamme. Les maisons sont collées les unes aux autres et les jardins mal arrangés se cachent derrière. On y trouve des grillages, des balançoires, des barbecues, des arbres récemment plantés et quelques fleurs écrasées au milieu desquelles traîne un ballon de foot. Claire se souvient qu'à la rentrée des classes, juste après le déménagement, ses anciennes copines des Bergeries ne lui parlaient plus trop. À moins que ce ne soit l'inverse, elle ne sait plus très bien.

Claire a habité là jusqu'à ses vingt ans, le bac G3 en poche, les vacances, la disparition de Loïc à son retour, son silence
25 assourdissant, le trou noir qui suit. À la première lettre reçue, Claire a relevé la tête hors de l'eau. Son oncle connaissait le gérant du Shopi. Il l'a embauchée comme caissière. Le temps d'économiser la caution, les frais d'agence, et elle habitait à Paris, dans ce quartier qu'aimait Loïc. Un quartier qui n'en est
30 pas un, aux confluents d'autres quartiers : Cadet, Opéra, Saint-Georges, Montmartre, Pigalle. Loïc aimait tant la rue des Martyrs, qui menait au cœur de Montmartre, de son côté favori, juste au-dessus des Abbesses. Et puis aussi la place Saint-Georges, les rues qui montent, entre la rue Notre-Dame-de-
35 Lorette et Pigalle, entre la rue Blanche et la rue de Maubeuge. De l'autre côté, la rue du Faubourg-Montmartre vous menait jusqu'à la rue Montorgueil, le quartier des Halles, le Pont-Neuf. On passait la Seine et hop Saint-Germain-des-Prés, l'Odéon. Il aimait surtout ce quartier sans rien de clinquant parce qu'on y
40 vivait, tranquille. Il y avait là quelque chose d'humain : les gens faisaient leurs courses, rentraient chez eux, allaient chercher le pain ou le journal, des cigarettes, prenaient un verre au comptoir.

Elle sonne. Au-dessus du bouton, sur un petit rectangle adhésif, on lit : « Paul et Irène Tellier et leurs enfants. » Irène ouvre la porte. Un tablier recouvre partiellement les fleurs de son chemisier ainsi que le tissu rose de sa jupe. Elle sourit doucement, dit à Claire d'entrer. « Ton père est dans le jardin. » Sur la table du salon, recouverte d'une toile cirée à motifs géométriques, Irène a posé la tente et le tapis de sol. Par la porte-fenêtre, Claire voit son père, de dos. Il arrose le jardin. Elle glisse en silence jusqu'à lui. Elle touche son épaule. Paul sursaute puis se retourne. C'est à peine si on perçoit le petit sourire qui se forme sur sa bouche. Ses baisers effleurent juste la peau de Claire. Bonjour, ma petite. Il tousse un peu, gêné.

On mange sur la terrasse. On ne sait jamais trop quoi dire. Le tout, c'est d'être là, ensemble. On se regarde, on se sourit avec pudeur. Claire pense qu'elle aime ses parents. Elle ne leur dit pas. De l'autre côté de la haie, des enfants se courent après en criant. On entend aussi des bribes de conversation. Ça parle politique. Et les impôts, et les étrangers, et ceci et cela… Moi, je ne suis pas raciste, mais quand même, Le Pen ne dit pas que des conneries…

Claire aide Irène à débarrasser. Paul reste sur la terrasse. Il grille une cigarette. La nuit est douce. Sa tête est renversée en arrière et il ferme les yeux. Dans la cuisine, Irène tend une enveloppe à Claire. C'est Loïc, elle le sait. Elle reconnaît son écriture, et puis aussi le visage d'Irène à chaque fois qu'elle lui donne une de ses lettres. Loïc n'écrit qu'à Claire. C'est comme une provocation. Depuis son départ, pas une lettre à ses parents. Juste, deux, trois fois par mois, des cartes adressées à Claire. Quelques mots rapides : je pense à toi, je t'embrasse, je vais bien, ne t'en fais pas. Claire ne reçoit jamais plus de deux ou trois cartes du même endroit. Loïc va de ville en ville, sillonne les routes. Sur les cartes jamais un mot sur les parents, aucune explication sur ce qu'il fait, aucune référence à son départ, aux raisons de ce départ. Juste un signe. Comme pour dire : je ne suis pas mort.

Claire ouvre. C'est une carte du Cotentin[1]. Le tampon de la poste indique Portbail[1], 21 août 1998. Irène pleure doucement. Elle fait signe à Claire de cacher ça avant que son père n'arrive. C'est la première carte que Claire reçoit de Portbail. Son cœur bat vite. C'était inespéré. Loïc doit y être encore. Portbail c'est sûrement tout petit. Claire prend sa mère dans ses bras. Elle lui caresse les cheveux. C'est notre faute, dit Irène. Si seulement il laissait une adresse, quelque chose. On pourrait lui écrire, lui dire qu'on regrette. Ton père, ça le ronge, tu sais.

---

1. En Normandie, pays situé entre l'estuaire de la Vire et la baie du Mont-Saint-Michel.
2. Station balnéaire du Cotentin.

Dans la maison tout est si rangé. Depuis qu'elle est partie, à la suite de Loïc, tout semble figé. Rien n'a bougé. Comme si tout avait été laissé à l'abandon, mais sans la moindre poussière. Le temps arrêté. On n'entend pas un bruit. Paul somnole sur
5 la terrasse. Irène recoud des boutons. Claire entre dans sa chambre. Pacha le chat dort sur l'édredon jaune. C'était une idée de Loïc, de l'appeler Pacha. Pacha a encore grossi. La chambre est très vide, très sobre. Un gros lit hérité des grands-parents, un bureau blanc, une petite commode où sont assises
10 deux poupées en porcelaine. Claire n'a jamais passé beaucoup de temps dans sa chambre. Se contentait d'y dormir. Tout se vivait chez Loïc. Claire pousse la porte. Personne n'a osé toucher à quoi que ce soit. Il y a des livres partout. Sur la table de nuit, une petite pile, avec au-dessus un volume ouvert,
15 retourné. Loïc est parti il y a deux ans. Il avait dix-huit ans, Claire en avait vingt. Mais Loïc a toujours été le grand frère. Il a même eu son bac avant elle. Il avait un an d'avance, Claire a redoublé deux fois : la quatrième et la seconde.

Sur la chaîne, une pile de disques. Les derniers qu'avait ache-
20 tés Loïc : Miossec, Dominique A., Murat, Bashung et Björk, que Claire n'aimait pas trop. Les murs sont couverts de pho-

tos. On voit Belmondo avec Jean Seberg, Boris Vian, Patrick Modiano, Jacques Brel et Leonard Cohen. Son lit, un matelas à même le sol, avec des coussins coincés contre le mur. Sur le 25 bureau en pin clair, des feuilles éparpillées, des notes. On peut les lire, mais on n'y trouvera rien qui explique la fuite. Ou en tout cas pas plus que ce que disait toujours Loïc à Claire, qu'il fallait partir, s'enfuir, quitter la France, qui sentait le renfermé, où on était à l'étroit, ou alors au contraire s'y enfoncer pour de 30 bon, sillonner, aller vers l'océan, trouver des racines là où on déciderait de les planter, s'inventer une vie, aller partout ou aller nulle part, puisque venant d'ici, de la banlieue parisienne, on ne venait de nulle part, on venait d'un no man's land[1] et que tout restait à bâtir.

35 Claire regagne sa chambre. Elle entend la télévision dans le salon. Irène ne regarde pas. Paul change de chaîne sans s'arrêter sur un programme en particulier.

1. Zone dévastée, vidée de ses habitants.

Claire a du mal à dormir. Elle se lève, descend les escaliers. Le carrelage est froid dans la cuisine. Elle prend un verre d'eau. Une lumière mouvante vient du salon. Elle entre. Paul est endormi. Il a la bouche ouverte. M6 diffuse des clips en boucle. C'est la nuit spéciale rap. Le son est coupé. Elle regarde son père qui dort. Il a un peu vieilli, ces temps-ci. Mais le sommeil glisse à son front un air de repos, une petite jeunesse, un apaisement. Claire éteint la télévision. Dans le débarras elle cherche une vieille couverture. Celle que lui avait faite sa grand-mère. Avec des gros carrés multicolores collés les uns aux autres. Le dimanche, immobile sur le canapé, tout entière recouverte, elle faisait semblant de dormir. Par les petits trous venait la lumière des films du dimanche soir. Claire pose doucement la couverture sur son père. Il pousse un léger grognement. Plutôt un soupir.

Elle regagne la chambre de Loïc. Elle se glisse sous sa couette. Elle se sent mieux, comme protégée. Elle pense que demain, peut-être, elle l'apercevra. Elle a un peu peur. Elle n'a rien dit à ses parents. Tu pars où alors ? Dans la Creuse, a dit Claire, j'ai des amis qui sont en vacances là-bas. C'est faux, évidemment. De toute façon, Claire n'a pas d'amis à proprement parler. Ses amis, c'étaient ceux de Loïc. Elle ne les voit plus, depuis qu'il est parti. Ils ne se sont jamais beaucoup intéressés à elle, ou seulement lorsque, complètement bourrés, ils se glissaient dans son lit.

Irène est toujours un peu émue quand Claire repart. « On n'a eu le temps de parler de rien. » Claire promet à ses parents qu'à son retour, elle viendra passer ses trois jours de vacances restants à D. Irène est impatiente. Paul ne dit rien, il embrasse sa fille.

Claire a pris des cassettes, cachées dans un coin de la chambre de Loïc. Des groupes des années quatre-vingt, la Mano Negra, les Négresses vertes, les Clash, les Smiths… Elle roule trop vite. Dans une station-service, Claire consulte un guide Michelin. Elle repère un camping pas trop loin de Portbail. Il n'y en a pas à moins de cinq kilomètres. Elle choisit Les Bosquets, à Barneville-Carteret. Elle pense bien à aller à l'hôtel, mais sept nuits, ce sera trop cher. Plus les kilomètres défilent, plus son cœur bat vite, et plus elle trouve ça absurde, insensé. Elle sait bien qu'elle ne le croisera pas. Et puis, s'il avait voulu la revoir, il serait venu à elle. Il aurait suffi de laisser un rendez-vous dans une des cartes, à l'abri du regard des parents. Ou alors de glisser une annonce dans *Libé*… Claire roule quand même. C'est le matin et la lumière est très nette. Elle ne pense à rien.

20 Quand elle est partie, elle s'est retournée. Paul et Irène se tenaient derrière la fenêtre du salon, celle qui donne sur une petite bande d'herbe, puis sur le trottoir. Irène a fait un petit geste. Claire a répondu. Puis Irène et Paul sont restés face à face, au milieu du salon, sur le tapis à motifs pastel, les bras ballants. 25 Silencieux. Il se sont assis dans le canapé, sans rien dire. Irène a pris la main de Paul dans la sienne. Paul a passé son bras autour de ses épaules. Ils ont regardé dans le vide, fixement, durant peut-être dix minutes. Irène a fait une grimace pour réprimer la boule d'angoisse qui menaçait de se muer en larmes. 30 Paul a fini par toussoter, a semblé s'éveiller, surpris tout à coup de se voir assis là en silence, le regard perdu dans le vague et l'absence. Il s'est levé, a tenté d'exécuter ses gestes de la manière la plus machinale possible. Bien sûr, il fut emprunté comme jamais lorsqu'il plaça le disque sur la platine et demanda à Irène 35 si elle souhaitait faire un Scrabble. Irène a sursauté, s'est levée d'un bond, très tendue, a semblé hésiter avant de choisir ce qu'elle allait faire. A répondu oui je veux bien avant d'entrer dans la cuisine. Elle a rempli d'eau la théière Éléphant. Elle l'a regardée tourner dans la lumière du four à micro-ondes. 40 Pendant ce temps, Paul a installé le jeu, a pris une feuille blanche. Il y a tracé deux colonnes. En haut de chacune il a placé leurs deux prénoms. Dans la boîte, des feuilles de scores sont remplies. Sur certaines, il y a quatre colonnes, quatre prénoms : Claire Loïc Paul Irène. En général, c'est Loïc qui 45 gagnait.

II

Claire a juste vingt ans. Elle vient d'avoir son bac. C'est les vacances. Pour elle en tout cas. Parce que Loïc, lui, travaille. Il veut voyager. Claire est partie une semaine chez sa grand-mère, à la campagne. Il y a un grand jardin, des tas de fleurs, des gro-
5 seilles et des framboises, des moutons dans le champ d'à côté, aucun vis-à-vis, juste le bruit des tracteurs. C'est reposant. Elle reste juste quelques jours. Elle lit sur la couverture, sous le cerisier, joue aux dames chinoises en prenant le thé avec sa grand-mère. Elle prend une route au hasard, la suit pendant une
10 heure, puis fait demi-tour. Elle mâchonne des brins d'herbe, le vent balaie les mèches sur son front. Elle s'arrête au bord d'un lac, sous les peupliers. Cinq jours très calmes comme ça. Elle ne pense pas à l'avenir. Que faire, où s'inscrire ? Paul lui dit qu'elle a l'embarras du choix, maintenant qu'elle a son bac. Elle
15 répond qu'elle a surtout le choix de l'embarras. Tu vas bien faire quelque chose de ta vie, dit Irène. Claire n'a jamais vraiment pensé qu'on pouvait faire quelque chose de sa vie, alors la manière d'y parvenir et les buts à se fixer, tout ça devient très flou. Loïc, lui, sait ce qu'il veut. Il saura aussi pour elle. Elle,
20 elle regarde le ciel, entend les corneilles, observe les hirondelles qui passent à des vitesses sidérantes.

Ce que préfère Claire, dans ces séjours passés auprès de sa grand-mère, entre filles, ce sont les histoires, les souvenirs. À quoi ressemblait son grand-père, qu'elle n'a jamais connu. Comment était son père quand il était petit, ou adolescent. Grand-mère lui raconte aussi ce qu'elle n'a jamais osé demander à ses parents. Leur rencontre, sa naissance à elle, celle de Loïc. Claire fouille dans les cartons, regarde les photos. Celles de son père surtout. Toujours très sérieux, la bouche fermée, un peu emprunté. Toujours fourré dans ses livres, s'amuse grand-mère. Il aurait voulu être instituteur, mais il n'était pas fait pour ça. Il parlait si peu.

Ton grand-père non plus n'était pas très bavard. Il aimait beaucoup Paul, mais n'a jamais su lui montrer. Paul lui en a beaucoup voulu pour cette froideur, je le sais bien. Quand Irène est arrivée dans nos vies à tous, ton grand-père l'a immédiatement adoptée, tu sais. Il l'embrassait avec des bises claquantes, tandis qu'à ton père il ne réservait qu'une poignée de main timide. Quand on était tous les quatre, Jacques passait des après-midi entières à parler avec Irène. Il lui posait des questions, lui demandait des foules de détails, des choses très personnelles parfois, alors qu'il n'aurait même pas su dire quel métier voulait faire ton père, pour qui il votait, ce qu'il aimait dans la vie, que sais-je. Je sais bien que ça le blessait, Paul. Mais c'est ainsi, un père et son fils ne savent pas se dire qu'ils s'aiment.

25 Puis Irène est tombée enceinte et ton grand-père est mort. Brutalement pour tout le monde, sauf pour moi. Je savais qu'il était malade. Il ne voulait pas que cela se sache. Même son fils. Je ne veux pas les embêter avec ça, disait-il. Je sais que ce silence-là aussi, Paul l'a mal pris. Mais j'ai entendu les derniers mots 30 de ton grand-père, je les ai entendus. Ils étaient pour moi et puis pour Paul, juste pour nous deux. Il disait juste qu'il nous aimait. Je l'ai dit à Paul. Il n'a rien dit. Mais il a pensé si fort que son père aurait dû les lui dire avant, ces mots si simples.

Le téléphone sonne. Grand-mère ne bouge pas. Ses yeux 35 brillent et se projettent si loin en arrière. Claire se lève et décroche. Bonjour maman. Oui, ça va. Oh pas grand-chose, je me promène, on papote. Oui, après-demain, par le train de quatorze heures. D'accord, je te passe grand-mère.

Claire feuillette les albums. Elle entend juste sa grand-mère 40 émettre des acquiescements étouffés, puis raccrocher. Claire la voit manquer de tomber, s'accrocher à la table, le visage livide. Ça ne va pas ? Non, ce n'est rien. Juste un vertige. Ça m'arrive très souvent ces temps-ci. Je vieillis tu sais. Elle se dirige vers le guéridon, ouvre le tiroir, en extrait une plaquette métallique de 45 médicaments au nom barbare, qu'elle avale avec un verre d'eau.

– Tu as un amoureux, au moins ?

– Grand-mère !

– Ma petite, tu ne vas pas passer ta vie avec Loïc…

– Ça va pas ? Qu'est-ce que tu me racontes ? Je cherche, c'est
5 tout. J'ai pas trouvé le bon.

L'horizon se resserre et on contourne Bourges. La vieille Citroën grince et crachote. Les suspensions sont molles et Claire a mal au cœur. Arrivées à la gare, elles patientent ensemble devant une tasse de café. Grand-mère demande si elle
10 reviendra bientôt. Claire répond que oui, que bientôt ils viendront la voir, avec Loïc. Loïc aura son permis, alors il les conduira à Sancerre et ils mangeront dans un restaurant par-dessus la Loire et les bancs de sable.

– Ce sera bien, dit grand-mère, rêveuse. Dis donc, ma petite,
15 il serait peut-être temps d'y aller.

Le train ne part que dans un quart d'heure, mais les grands-mères c'est toujours pareil, ça vous fait poiroter sur le quai. Toujours la peur d'être en retard.

Claire embrasse sa grand-mère. Embrasse Loïc pour moi, 20 mon ange. Prends soin de toi. Bonjour à tes parents. Dis-leur qu'ils pourraient venir me voir plus souvent quand même…

Bourges-Paris. Claire a dormi. Elle a les yeux un peu gonflés. Elle prend le RER. Défilent les poteaux, les blocs d'immeubles, les lignes électriques, les petits pavillons engrillagés, les jardins potagers, les gares SNCF, les beaux hôpitaux, les jolis parkings, la Seine bordée d'immeubles et de rivages très verts où l'on pourrait envisager un pique-nique, les quais, la casse où s'empilent des vieilles bagnoles cabossées. On arrive à Juvisy, le train grince. Tout le monde a l'air pressé. Tunnels, rue de la Gare, trottoir, arrêt de bus, traversée de la Seine, centre-ville aux boutiques rares, Mainville. Claire longe la forêt. Il est dix-huit heures trente. Loïc doit être rentré, alors elle se hâte.

Irène ouvre la porte. Ses yeux sont rouges. On voit bien qu'elle fait semblant de ne pas avoir pleuré. Paul regarde la télévision dans le fauteuil usé. Il se retourne à peine. Bonjour, ma fille, ça va ? Claire pose son sac. Elle a chaud, elle ôte son pull. Son tee-shirt remonte un peu et on voit son ventre.

– Ton frère est parti.

– Parti où ?

– On ne sait pas.

– Comment ça, on ne sait pas ?

– Non. Il est parti comme ça. Ça fait cinq jours, on ne l'a pas revu. Il a juste dit qu'il partait. Qu'il ne reviendrait pas.

Irène pleure.
Paul disparaît dans l'escalier.

– Mais qu'est-ce qui s'est passé ? demande Claire.

– Ton père et ton frère se sont disputés. Ton frère est parti. C'est complètement con cette histoire. Ton père a dit des choses qu'il ne pensait pas. Il regrette. C'est juste qu'il a été un peu surpris. Il n'a pas su comment réagir. Tu comprends ? Ne t'en fais pas. Loïc va revenir. Il a dit qu'il ne voulait plus jamais nous voir, mais c'est sur le coup de l'énervement. Et puis il ne pourra pas se passer de toi longtemps.

Claire s'effondre.

Claire et sa mère restent longtemps comme ça enlacées, à pleurer, fronts collés. Là-haut, dans sa chambre, Paul mord l'intérieur de ses joues. Il va aux toilettes. Il vomit.

La nuit tombe très lentement. Paul a rejoint Claire et Irène dans le salon. Ils se suivent. Quand l'un d'entre eux se déplace, les autres emboîtent le pas. Ils se retrouvent dans la chambre de Claire.

Elle est montée en pleurant. Elle a dit je veux être seule. C'était pendant le repas. Elle a à peine touché à son poisson. Elle a bu une dizaine de verres d'eau. Elle avait la gorge sèche, la sensation d'étouffer. Elle s'est levée. Paul et Irène se sont regardés, chacun à son bout de table. Sans un mot ils se sont levés, avec leur assiette à la main, ils sont montés à leur tour. Ils n'ont pas frappé. Claire leur tournait le dos, courbée sur son bureau. Ses épaules tremblantes ont trahi un sanglot. Les larmes qu'on ravale. Ils se sont assis sur le lit. Ils ont fini leur repas discrètement. Paul a demandé : « Tu veux qu'on s'en aille ? » Claire s'est retournée. Elle a regardé ses parents, ses pauvres parents si menus tout à coup. Elle s'est jetée dans les bras de Paul. Paul a eu un geste de recul, mais Claire s'est blottie un peu plus. Paul ne savait pas quoi faire de sa main droite, alors il l'a posée avec maladresse sur les cheveux de Claire. Paul a retenu ses larmes, a pris la pose de celui qui console. Mais tous les trois avaient un égal besoin, un infini besoin de consolation.

Le manège a continué longtemps dans la nuit. Les nerfs ont craqué tour à tour, les larmes ont dévalé chaque joue. Claire a enveloppé sa mère de ses grands bras. Ses bras lui semblaient immenses tout à coup. Paul a tiré un matelas jusqu'à la chambre de Claire. Il l'a placé au pied du lit, laissant juste un espace entre les deux couchages. Tour à tour, ils ont passé un peu de temps dans la salle de bains. Ils se sont couchés bien sagement. Tous les trois. Claire a cru entendre sonner le téléphone toute la nuit.

Claire a beaucoup maigri. Elle ne parle presque plus. Elle reste toute la journée enfermée dans sa chambre. Le front collé à sa fenêtre, elle guette. Irène l'appelle pour dîner. En descendant l'escalier elle est prise d'un léger vertige. Mais ce n'est rien.
5 Ça passe. Personne ne dit rien. Paul regarde dans son assiette. Il ne peut soutenir le regard de sa fille. « Mange au moins de la salade. » Claire avale doucement. Elle se force. Elle boit un verre d'eau.

– Je remonte dans ma chambre.
10 – Mais tu n'as rien mangé.
– J'ai pas faim.
– Prends au moins une pomme !
– J'ai pas faim j'te dis.
– Claire, il faut que tu manges. Tu vas être malade.
15 – Et alors, j'm'en branle.
– Claire, tu parles pas comme ça à ta mère. Tu restes à table et tu finis ton repas.

Claire se lève. Elle ferme la porte de la cuisine derrière elle. On entend son pas dans les escaliers.

20 De sa chambre Claire écoute le silence du repas qui s'achève, puis les bruits de vaisselle, l'eau qui coule, la poubelle que l'on sort, que l'on traîne sur le trottoir. Un peu plus tard, elle sort. Elle entend le son du téléviseur. Elle va jusqu'à la salle de bains, se penche sur la cuvette et enfonce deux doigts dans sa bouche.
25 C'est acide. Sa gorge brûle. De la bile et du vinaigre. De la laitue en boule, vert sombre. Elle descend à la cuisine, boire quelque chose de sucré. Elle glisse sa tête dans l'entrebâillement de la porte. Ses parents sont enlacés. Ils pleurent en silence. Irène répète doucement : ce n'est pas ta faute, ce n'est pas ta
30 faute. Claire rejoint ses parents, elle colle son visage aux leurs. Elle répète, ce n'est pas votre faute, je vous aime, il reviendra…

Loïc ne revient pas. Ne donne pas de nouvelles. Claire n'est pas sortie de chez elle depuis huit mois. Irène a appelé un médecin. La veille, elle a obligé Claire à se peser. Claire était dans la salle de bains et la porte n'était pas fermée. Irène est entrée.

– Pèse-toi.

– Non.

– Claire, pèse-toi s'il te plaît.

Claire a fait mine de sortir. Irène a barré le passage.

– Casse-toi de là. J'me pèserai pas j'te dis.

– Tu ne sortiras pas tant que tu ne te seras pas pesée.

Irène a poussé Claire vers la balance. Elle la tenait fermement. Elle lui faisait mal. Sous ses doigts elle sentait les os saillants de Claire.

– Regarde.

Claire a gardé ses yeux en l'air. Irène a pris sa tête dans sa main, l'a forcée à s'incliner.

– Regarde ça. Quarante-sept kilos. Tu vas venir avec moi. On va voir un médecin.

20 « La médecine est une putain, son maquereau c'est le pharmacien », a chanté Claire.

Paul est entré. Il a trouvé Irène en larmes. Claire avait l'air d'une folle.

– Qu'est-ce qui se passe ?

25 – Ta fille refuse d'aller voir un médecin.

– Claire soit tu manges, soit tu vas voir un médecin.

– Mais je mange, papa.

– Tu te fous de ma gueule. Qu'est-ce que tu crois ? Tu crois qu'on sait pas que tu vas te faire vomir dans les chiottes ? Tu

30 nous prends pour des cons ? Ça pue quand on entre. Tu m'entends ? Mais tu t'es vue ? Tu crois que Loïc serait content de te voir comme ça ?

– Tu parles comme s'il était mort.

– Tu dis n'importe quoi. Tu crois que ça va le faire revenir,

35 de pas manger ?

– Non mais, mais c'est pas en ne faisant rien qu'on le fera revenir.

– Parce que t'as une solution, peut-être.

– C'est pas moi qui l'ai fait fuir.

40 Paul n'a rien dit. Il est ressorti. On a entendu claquer la porte, démarrer la voiture. Quand il est rentré, Claire s'est jetée sur lui.

– Excuse-moi, papa.

– C'est rien, Claire. C'est rien.

45 Le médecin dit qu'elle est trop maigre maintenant, qu'il faut qu'elle mange, qu'elle sorte, qu'elle vive. Claire promet. Le médecin lui prescrit des gélules. Des vitamines. Des trucs qui donnent faim.

Le médecin est parti. N'hésitez pas à me rappeler s'il y a le 50 moindre problème. Il est resté en tête à tête avec Claire. Claire lui a dit que si Loïc ne revenait pas elle irait le chercher. Qu'elle ne peut pas vivre sans lui. Et s'il est mort ? Claire a fusillé le médecin du regard. Elle a craché, eh bien je mourrai aussi. Elle a dit très fort : « Bon, eh bien, au revoir, docteur. Merci pour 55 tout. » Irène est entrée, Paul aussi. Le médecin a remballé ses affaires.

Claire ne prend pas ses cachets. Sa peau est blanche, presque violette. Ses pommettes sont pointues. Elle parle de moins en moins. Elle est allongée. C'est le matin. Elle pense à mourir. Elle entend la voiture, se lève, voit le facteur. Elle tend l'oreille, comme tous les matins. Sa mère est sortie, a ouvert la boîte. La porte claque. La voix d'Irène s'élève.

Il y a une lettre pour toi, Claire. Claire dévale les escaliers. Elle ouvre. Elle éclate. On ne sait pas exactement de quoi. Elle rit, elle pleure en même temps. C'est Loïc, elle crie, c'est Loïc. Il va bien. Il est en Bretagne. Il va bien. Il pense à moi. Il va bien.

Irène et Claire sautent sur place en dansant. Elles poussent des cris insensés. Elles trépignent dans leur fauteuil en attendant le retour de Paul, qui est en forêt, sur son vélo. Elles se jettent sur lui comme des affamées.

III

Claire roule très vite. Elle veut arriver au camping avant la nuit. Elle aperçoit la mer, un pont passe au-dessus des marais où jouent des enfants, armés d'épuisettes. Un peu plus loin, on voit des bateaux reposant sur le sable. Quand elle arrive au camping, la musique est très forte. C'est la soirée dansante. Ricky Martin passe la main aux 2Be3. Personne ne danse sous les guirlandes multicolores. Ça sent les frites et la merguez. Le type derrière le bureau d'accueil lui fait juste inscrire son nom sur une fiche. Il l'accompagne jusqu'à son emplacement. Je vous mets à côté des jeunes, dit-il avec un clin d'œil. Claire est un peu inquiète. Elle regarde autour d'elle, repère les sécurisantes caravanes à auvent, où des vieux regardent *Jeux sans frontières* en sirotant un pastis. Un chien vient à sa rencontre. Elle manque de l'écraser. En face, deux jeunes au crâne presque rasé arrivent en Mobylette. Leurs pots sont trafiqués. Ils portent des survêtements en acrylique, brillants. Ils la regardent avec insistance. Puis ils entrent dans la caravane, ressortent avec un pack de Kro et observent Claire qui monte sa tente.

Munie de sa lampe torche, Claire sort du camping. Sur la piste de danse, un couple en survêtement et tongs danse tout seul sur Phil Collins. C'est un slow. Claire a la gorge serrée, sans savoir pourquoi. Elle marche jusqu'à la mer. Elle s'assied sur le sable. Le ciel est plein d'étoiles. Au loin, les lumières de Carteret, le port, le restaurant, les deux pubs. Sur la plage, des 25 jeunes passent par petits groupes, lui demandent si elle a ou si elle veut du shit. Elle dit oui. Claire s'endort en fumant un joint.

Des bruits étranges la réveillent. Des halètements. Claire allume sa torche, la braque sur une forme mouvante. Un couple 30 fait l'amour. Oh pardon, je ne vous avais pas vus. Non c'est nous, fait le type un peu gêné. Claire rentre au camping, elle a froid.

Claire ne dort pas. À côté, le groupe de jeunes a décidé que personne ne s'endormirait avant le lever du soleil. Des vacances 35 sans nuits blanches, c'est pas des vacances. Ils piquent du nez, n'arrêtent pas de parler pour se tenir éveillés. Ça fait plusieurs nuits qu'ils font ça. Alors comme ils n'ont plus rien à se dire, ils s'imposent des sujets. L'un dit le mot « voiture ». Et à tour de rôle, chacun cite un modèle, jusqu'à épuisement de leurs 40 connaissances automobiles. À la fin, à court de sujet, ils lancent « produits de consommation courante ». Claire voit les codes-barres défiler.

Les nuits sont courtes, au camping Les Bosquets. Ayant épuisé les sujets de conversation, les voisins de Claire ont fini par s'endormir. Il devait être cinq heures du matin. Claire a eu le temps de dévorer deux des trois romans qu'elle a emportés. Elle se demande si à Portbail on trouve une librairie. De Portbail elle n'imagine que les abords, la région. Vers huit heures du matin, à peine, Claire a été réveillée par ses autres voisins, les vieux. D'un auvent à l'autre, on se souhaite le bonjour, on s'échange des trucs pour le tiercé, on rappelle ses chiens respectifs, on se demande si les nuages se lèveront. Elle se traîne jusqu'aux douches, où l'on fait la queue, dans les flaques et les odeurs de shampooing. Claire ne se presse pas. Portbail est à cinq kilomètres, elle a peur de retrouver Loïc, ou plutôt de ne pas le retrouver.

Les douches sont glacées. Un peu sales aussi. Claire aimerait bien se baigner. Elle se demande si la Manche n'est pas trop froide. En marchant vers les sanitaires, Claire a croisé des types avec des plats remplis de sardines à vider, des bassines pleines de pommes frites à laver. Sous les auvents, on écosse les haricots. Il est neuf heures du matin. À côté, une femme pousse des petits cris idiots. Claire lève la tête. Perchés au-dessus des cabines ouvertes, deux gamins en pyjama, le genre délurés[1], rigolent en regardant les filles se doucher. Leurs regards se posent sur Claire, qui ne dit rien, qui prend son temps, crève 25 de froid sans rien dire, ferme les yeux. Les gamins rigolent moins.

1. Qui aiment trop s'amuser.

Claire prend la corniche qui surplombe Carteret. Ses fenêtres sont grandes ouvertes, la route monte abrupte, longe des barrières de bois blanc, des maisons aux allures de manoirs. D'un côté s'éloigne le petit port, de l'autre s'approchent les dunes, se profile la très longue plage, où le maillot de bain semble superflu. Juste au-dessus se promènent des colonies d'enfants, arpentant les petites côtes de sable, les descendant sur le derrière, se cachant derrière les murs écroulés d'une chapelle, en haut des rochers, sur un petit plateau qui surveille la montée et la descente des eaux. Au loin, sur le sable mouillé découvert, on joue au foot, on trimballe des épuisettes, on entre dans l'eau en hurlant.

Claire gare la voiture là-haut. Elle prend son sac et descend par les chemins escarpés jusqu'au sable froid. Ça grouille de grosses puces blanches. Il n'y a que des Normands pour s'asseoir là-dessus. Claire marche encore un peu et étend sa serviette sur le sombre, l'humide. C'est désagréable mais au moins les insectes sont rares. Elle se contorsionne drôlement, enroulée dans sa serviette-éponge, pour passer son maillot de bain. Il n'y a presque personne, mais elle a l'impression que tout le monde la regarde et tente d'apercevoir en douce des bouts de sa peau. Enfin prête, elle court doucement vers l'eau où s'avance à tâtons un groupe de garçons et de filles de son âge ou à peine plus vieux. Ils restent médusés et grelottant en l'observant fendre l'eau puis plonger et s'éloigner, comme ignorant le remous des grosses vagues qui manquent à chaque fois de les faire tomber. Claire nage droit devant elle, sans s'arrêter. Elle arrive aux bouées, puis les dépasse. Loin derrière elle, personne n'a vraiment réussi à dépasser le niveau des genoux. C'est gelé et ça brûle. Claire avance. Elle n'entend pas distinctement le type qui surveille la plage. Il la somme[1] à coups de porte-voix de regagner l'espace de baignades surveillées. Le drapeau est orange. Le type prend ses jumelles et suit sa trajectoire très droite. Parfois il voit Claire qui s'arrête, flotte un instant, sur le dos, puis repart. Vingt minutes se sont écoulées, Claire fait demi-tour et regagne, de plus en plus lentement, les bouées. Claire est épuisée. Elle n'a pas l'habitude de nager en mer. Quand elle sort enfin de l'eau, les baigneurs frileux, enroulés dans leur serviette, quelques promeneurs, des enfants, se tiennent devant elle, la regardent passer sans rien dire, ébahis. Elle regagne son bout de sable en titubant. Le maître-nageur court vers elle furieux, tandis qu'elle s'écroule, le nez contre l'éponge, près de sombrer dans le sommeil. Le type parle trop fort et trop vite, donne trop de conseils, sur un ton de reproche. Claire cherche son souffle, ne répond rien. Claire est vide. Lavée. Neuve. Elle s'endort. Un ballon vient frapper son visage. Elle a dormi une heure. Un grand type brun lui présente

1. Il lui ordonne.

ses excuses. Rien de cassé ? Claire secoue la tête, dit que ce n'est rien, le remercie, même. Elle a dormi trop longtemps.

Claire repart, regagne le parking en croquant des biscuits sablés. Elle décide de prendre par l'intérieur des terres et se dirige vers le nord, pour renouer avec la côte et sillonner les routes plus étroites, qui montent et descendent sans arrêt, à gauche le bocage[1], les moutons, les champs de blé, à droite la mer par-dessous les falaises. Un peu plus loin, bordé de galets, le bout du monde, le sentiment qu'elle ne pourra jamais aller plus loin que cela. Perdue à des milliers de kilomètres, elle ne se sentirait pas plus au bord extrême du monde. On pourrait se laisser tomber à l'eau et mourir tranquille, se dit Claire. Perdue dans ses K Way, Claire longe l'eau interminablement, avec le vent de côté, les moutons pas loin, l'herbe rase. Puis elle repart en songeant que Loïc a dû trouver là ce qu'il cherchait, ce lieu nouveau, et qu'on a toujours connu. Claire sent bien qu'ici, en son bord extrême, en sa fin prochaine, en sa retraite même, elle, comme Loïc, puisqu'ils sont pareils, identiques, pourrait se sentir appartenir au monde.

Elle sait que Loïc ne partira plus, que, si elle n'était pas partie à sa rencontre, les cartes postales se seraient succédé nombreuses, toutes portant le cachet des environs, La Hague[1], Portbail ou même plus au sud, qu'importe.

---

1. Ensemble de parcelles de champs ou de prairies closes par des haies.
2. Station touristique du Cotentin.

Le début de l'après-midi. En bas de l'escalier, Paul attend Irène. Ils sont un peu inquiets parce que Claire n'a pas appelé pour donner de ses nouvelles, parler du voyage, de la campagne creusoise, rivières au milieu des vallons boisés, très verts, couverts de vaches. Paul fait semblant de rien, rassure Irène quand lui-même attend ce coup de fil. Il ne décrochera pas, il n'entendra pas sa voix. Savoir qu'elle a appelé lui suffira. S'ils se trouvaient l'un l'autre au bout du fil, il ne saurait pas quoi lui dire, ou alors je t'aime, mais ça ne se fait pas. Irène s'affaire là-haut, comme s'ils se rendaient à un dîner, à un spectacle. En l'attendant, Paul examine les murs, quelques lézardes[1], la peinture verte qui s'écaille sur la porte. À bien y regarder, il faudrait tout refaire, dans cette maison. Irène descend les escaliers en courant, presque.

– Tu as vu la peinture. Quel bordel ! Tout fout le camp dans cette baraque.

– Eh bien, maintenant que tu as tout ton temps… Quand tu auras fini le jardin, tu pourras t'y mettre.

Paul ne travaille plus depuis un an. Retraite anticipée. Gains

1. Échancrures.

de productivité, réduction des effectifs, licenciements économiques. Avec ses cinquante-cinq ans il a échappé à tout ça : le chômage, après toute une vie passée dans les bureaux d'un même employeur. Le travail ne lui manque pas. Loin de là. Ne serait-ce l'absence de Loïc, Paul se sentirait bien, en silence aux côtés d'Irène. Lectures, un brin de jardinage, un film à la télévision, un peu de musique, quelques sorties à Paris. Avec au creux de la tête l'éventualité d'un départ, comme un projet qu'on ne réalisera peut-être pas. Peut-être au sud, dans les pins marins, les terrasses ensoleillées, les jardins grillés, la paresse, les murets, les lavandes, les pierres très sèches, les lézards. Peut-être, qui sait ? Claire viendrait les rejoindre pour les vacances, avec ses enfants. Il y aurait des rires, des jeux, des tricycles dans la poussière.

Irène sort. Paul referme la porte. Il a très froid tout à coup. Ils marchent doucement, traversent la résidence puis longent la forêt. Juste avant d'arriver, ils achètent un pot de fleurs. Des fleurs éclatantes, parfumées, même.

Claire est là depuis trois jours. Elle a peu dormi, s'est baladée beaucoup, a sillonné les environs sans jamais s'approcher vraiment de Portbail. Elle a pris du vent plein le visage, s'est cachée derrière les rochers pour se déshabiller et enfiler son maillot de bain. Elle est restée très longtemps dans l'eau, se laissant emporter par les vagues assez hautes, où d'autres glissent, avec les cheveux jaunes ondulés. Elle s'est laissé engourdir par le froid, est revenue sur la plage et a regardé les gouttes d'eau sur sa peau, qui glissent ou s'étalent. Éclatent même parfois. Elle a marché le long de l'eau, même lorsqu'il avait plu. Elle a aimé ça, la mer sous la pluie, le ciel un peu bas, le vent, ce quelque chose de mélancolique, de doucement nostalgique. Nous sommes des monstres de nostalgie, disait Loïc.

Un jour, dans ses notes, Claire a trouvé cette phrase : « Quand j'étais petit, j'étais déjà nostalgique, mais de quoi ? »

Portbail, ce n'est pas grand-chose au milieu des marais, au bord de l'océan. C'est moins un village pour touristes qu'un lieu pour vivre, avec le sentiment de toucher quelque chose de juste, cette « vérité des choses » dont parle la chanson. Que faire dans le soir approchant, les cheveux pleins de sel et encore humides, arrivée enfin à Portbail, sans s'être pressée, en attendant juste le bon moment ? Claire est dans un coin du bar. Elle mange tranquillement. Elle observe, cherche Loïc du regard ou alors un garçon qui lui plairait bien, qui passerait devant la terrasse, près des bateaux amarrés[1], comme ça dans l'après-midi ensoleillée, tandis qu'elle sirote une bière rousse.

Il y a du monde, alors quelqu'un s'installe en face d'elle. Commande un repas, la regarde à la dérobée.

– Vous êtes en vacances ?
– Oui.
– Vous êtes toute seule ?
– Oui.
– Moi aussi. Ça vous plaît, la région ?

Claire hésite à répondre ce qu'elle ressent vraiment ici. Ce sentiment d'enracinement à la fois très neuf et très ancien. Cette évidence, aussi. Elle répond juste oui, a peur de s'embrouiller, de ne pas savoir. Loïc aurait su expliquer.

– Moi aussi j'aime beaucoup. J'ai pris des tas de photos. Vous voulez les voir ?

Claire n'ose pas refuser. Elle ne dit pas qu'elle s'en fout de

1. Attachés par des câbles ou des cordages.

regarder les photos de vacances de ce type… Lui, sort un gros album.

– Ça fait un mois que je suis là, alors…

On voit des vieux marins mangés par le sel, de la pluie, des
45 ports déserts et luisants, des enfants qui jouent sur la plage, des retraités en short, le nez au vent, des panneaux plantés au milieu de nulle part. Claire reconnaît le bord extrême du monde, le sien, elle reconnaît le lieu mais aussi l'impression qu'elle a eue lorsqu'elle y était. Toutes les photos sont en noir et blanc. Ça suf-
50 fit souvent à faire illusion, à *faire artiste*, mais ce n'est pas le cas. Claire croit y déceler une sincérité, un regard, à la fois évident et plein d'humilité[1], de distance, d'effacement. Elle lève les yeux vers le jeune homme, les traits fins et le visage mince, cheveux noirs et regard un peu brillant, au bord d'un tremblement.

55 – Vous montrez vos photos à tout le monde, comme ça ?
– Non. J'ai pensé qu'elles vous plairaient. C'est tout.

Un instant Claire a pensé à Loïc. Ce type lui ressemble. Ou plutôt, il *l'évoque*. Une façon de se tenir, de parler, peut-être… Après le dîner, Claire va marcher un peu dans les rues, seule.
60 Elle a dit au jeune photographe qu'elle repasserait peut-être prendre un verre. Il a dit qu'il l'attendrait. Avant de sortir, elle

---

1. Modestie.

observe la salle, scrute les visages. Elle monte au premier étage. C'est bruyant et enfumé, avec du cidre et de la bière mêlés. Elle redescend, sort sans se retourner, se fait surprendre par la 65 fraîcheur vite tombée. Elle va vers la voiture où elle prend un petit pull noir, fait le tour du village, ce qui est vite fait, passe derrière l'église, marche jusqu'au port, dans la lumière des phares automobiles. Elle marche en vain, regarde autour d'elle pour le principe. Elle sent qu'elle ne le croisera pas. Pas ce soir 70 en tout cas. Elle rebrousse chemin. Lorsqu'elle pousse la porte, le photographe passe son bras autour d'une fille assez pétasse, le cul haut perché, avec le petit haut blanc serré, largement décolleté, en rond, qui va avec. Elle est grande, blonde, bronzée, semble s'être trompée de destination, avoir confondu 75 Saint-Trop'[1] et La Hague, Nice et Cherbourg, Saint-Raph'[2] et Portbail. Devant elle s'étalent des photos qu'elle regarde à peine, en répétant connement : elle est belle celle-là, elle est belle celle-là.

Claire s'en veut d'avoir pensé à Loïc, de ne pas avoir repéré 80 le faiseur, le parleur, celui qui en fait des tonnes. Pourtant il y avait ses silences, cette façon menue de parler. Peut-être elle juge un peu vite. Ce type a le droit de se sentir seul, de draguer une pétasse blonde si ça lui chante, tout en sachant qu'il n'y gagnera rien, tout en éprouvant d'avance la cruauté des lendemains

---

1. Abréviation pour la ville de Saint-Tropez, station balnéaire très à la mode située dans le département du Var.
2. Abréviation pour la ville de Saint-Raphaël, autre station balnéaire chic du sud de la France.

85 matin. On a bien le droit de se tromper, après tout, même volontairement.

Lorsque Claire arrive, l'accès au camping est barré. Elle laisse la voiture sur le parking extérieur, tente de se repérer, dans le noir, sans torche. Au désordre qui règne autour de sa tente, 90 invectives, rots, canettes entrechoquées, odeur persistante d'un récent barbecue, Claire pressent que la nuit sera mauvaise.

– Fils de pute.
– Répète ça.
– Fils de pute.
95 – Putain, j'vais te péter le nez.
– Ben vas-y, tu vois j'm'approche.
– Casse-toi, j'te dis, ou j'te pète le nez.
– Ben alors ?
– Casse-toi, putain lâche-moi maintenant. Me touche pas, 100 putain me touche pas.
– Putain, il m'a pété le nez, cet enculé…

Lumières allumées, intervention des vieux de la vieille, habitués des campings, médiateurs spécialisés en pugilats[1] de jeunes à Mobylette. On entend le type gueuler qu'il pisse le sang, l'autre 105 dire qu'il l'avait cherché. Et puis tout se tait. La nuit peut commencer. Claire sort la tête de sa tente igloo. Il fait presque jour.

1. Rixes, bagarres à coups de poing.

Paul ouvre la porte du garage. Il fait encore frais, le soleil est pâle et une odeur de feuilles brûlées, de brume de septembre en banlieue se fait sentir. La Clio vert bouteille se fait un peu prier. Paul la laisse immobile, moteur allumé, sur le trottoir. Il referme la porte qui grince, et rejoint Irène, dans la cuisine, où un petit poste de radio diffuse les informations. Irène enroule les sandwichs dans du papier d'aluminium, les place dans un sac plastique. Elle y ajoute deux nectarines, une bouteille d'eau, un paquet de galettes Saint-Michel. Elle tend le sac à Paul, qui le pose près de lui, sur la table blanche. Il prend Irène dans ses bras. Ils se serrent sans rien dire, se regardent doucement. Paul essuie d'un doigt léger une larme sur le visage d'Irène, puis il sort de la pièce, choisit dans le salon une cassette de Brel, le seul chanteur, avec Barbara, pour lequel Loïc, Claire, Irène et lui entretiennent une commune passion. Plus que ses chansons encore, Loïc aimait l'entendre parler. Il avait ainsi une dizaine de cassettes d'entretiens. Paul a parfois tenté d'y trouver une réponse au départ de son fils. Il y en avait trop, et aucune ne semblait décisive. Ou toutes l'étaient.

Paul a fait un signe à Irène. À ce soir. Surtout, sois prudent. La Clio s'est éloignée. Irène est rentrée dans la maison, s'est préparé un café. Elle est restée longtemps les deux mains collées au bol fumant, à regarder par la fenêtre où le vert des feuillages était chahuté par la pluie. Paul a roulé sans vraiment s'en rendre 25 compte, le regard dans le vague, les gestes machinaux.

C'est le quatrième jour, Claire roule au hasard ou presque… Elle suit la direction Cherbourg, prend des petites routes au milieu du bocage. La campagne est très belle et l'on se sait encerclé par la mer. Puis les prés s'effacent et laissent la place à quelques routes mieux tracées le long desquelles s'ennuient des barres de béton mal rangées. Une tristesse règne là que ne démentent pas les quelques kilomètres qu'il reste à parcourir pour atteindre la mer, le port, le centre-ville de Cherbourg où il n'y a rien. Le gris le dispute au cafard, la morosité[1] à la laideur. Cherbourg est une ville sans appel, sans rien de souriant. La fameuse échoppe des parapluies vous oppose un carré de fer vert. On fait vite le tour des boutiques mal arrangées, aux devantures trop froides. Claire entre dans un tabac où elle achète un paquet de Craven A light. Avant de partir elle demande à tout hasard où se trouve le centre-ville. Visiblement vexée, la vendeuse semble se demander s'il s'agit d'une farce, d'une perfide et ironique remarque. Mais non, Claire se demande où est le centre-ville de Cherbourg. Claire s'arrête boire un café. Un type en pantalon de cuir s'énerve sur un flipper. Un adolescent en jean griffonne quelques mots sur un car-

---

1. Sentiment qui incite à la tristesse.

net. Claire fume une cigarette. Elle sent qu'aujourd'hui est le bon jour, que reprenant son poste près de la Manche dans le sombre d'un faux pub à l'entrée de Portbail, changeant régulièrement de place pour gagner à la faveur d'un rayon de soleil, 25 d'une éclaircie, la terrasse, Loïc passera, le pas pressé, le visage un peu grave et recouvert de barbe. Elle revient en longeant la côte, tranquillement, sans hâte. Elle rentre un peu dans les terres pour mieux regagner le rivage. Portbail est désert. Une ou deux très belles maisons semblent des lieux où vivre serait 30 possible. En terrasse, Claire mange des moules à la crème et au vin blanc. Le photographe la prend de profil. Elle ne l'avait pas remarqué. Lui, si.

Paul claque la porte. Le vent le décoiffe. Le soleil le surprend. Lentement, il marche le long de la route. Il respire l'air marin. Il se sent bien ici. Ses mains sont enfoncées dans ses poches, quelques mouettes le survolent. Il grille une cigarette en regardant les bateaux lentement balancés. Il fait marche arrière, regagne le centre du village. Autour de la place, entre une épicerie et une boucherie, se loge un bureau de tabac où l'on vend la presse et quelques cartes postales. Paul hésite longuement, choisit avec soin un paysage de bruyère et d'océan mêlés. Il demande un timbre et une enveloppe.

Perché sur le parapet, il écrit avec application, glisse la carte dans l'enveloppe, la timbre. Sans doute écrit-il aussi l'adresse. Il se redresse, suit du regard un oiseau, respire un grand coup, regarde le soleil en face, se frotte un peu les yeux. Il se lève, regagne le centre du village où se dresse une boîte aux lettres jaune. Destination : Paris. En regagnant sa voiture, il passe à nouveau devant le pub où déjeunent en terrasse deux jeunes gens, assis l'un face à l'autre. Il ne les remarque pas. Son regard est fixé sur la mer. Il aimerait s'attarder, flâner le long de la côte, retrouver les paysages découverts avec Irène il y a dix jours. Ils avaient pris une chambre dans le petit hôtel. Juste deux jours comme ça, pour qu'Irène voie le lieu, l'accepte. Il se hâte un peu. Irène va s'inquiéter, il a promis de rentrer avant six heures.

Claire ne s'est pas levée, ne s'est pas lancée à la poursuite de son père. Elle a d'abord cru le reconnaître. Une vague ressemblance, sans doute, une silhouette, l'allure. Il est repassé quelques minutes plus tard et elle n'était plus sûre. Le photographe lui faisait face. Il lui racontait un peu sa vie, sans rien d'exagéré, sans vraie prétention. Ils parlaient de tout et de rien, des paysages, de livres qu'ils aimaient. Il devait rentrer bientôt à Paris. Claire a proposé de le ramener en voiture. Elle partirait le surlendemain. Paul est passé une troisième fois. Elle l'a suivi des yeux. Elle l'a regardé glisser l'enveloppe dans la boîte jaune, recouverte de chiures d'oiseaux. Sa gorge s'est un peu serrée. Elle n'écoutait plus vraiment le garçon assis en face d'elle. Elle se contentait d'acquiescer, de hocher doucement la tête. Une dernière fois son père est passé, les yeux dans le vide. Elle a vu ensuite la voiture rouler devant elle, hésiter et puis s'engager dans la direction de Barneville-Carteret. Claire a mis ses lunettes de soleil. Le jeune homme lui a demandé si ça allait. Oui ça va. On va partir demain, finalement, je crois que je préfère. Avant d'aller vers Paris, on suivra un peu la côte, vers le nord. On verra l'usine de La Hague. On ira se baigner un peu. L'eau sera froide et on se sentira comme des glaçons. On se jettera dans les grandes vagues en poussant des hurlements et je finirai dans tes bras. Revenus sur la plage, tu me sécheras avec la grande serviette-éponge. Tu t'excuseras lorsque tu frôleras ma poitrine, mes fesses. On se poursuivra en courant. Comme par hasard on arrivera derrière les rochers, où personne ne nous voit et d'où l'on ne voit personne. On se tiendra face à face. Tu passeras un doigt sur mon visage, tu écarteras une mèche de cheveux avant de m'embrasser. Des doigts courront dans mon dos. Tu feras glisser une bretelle. Ta bouche sera très chaude sur mes seins, sur mon ventre, sur mon sexe, ou à l'intérieur, je ne saurai plus très bien. À un moment, je pleurerai sans raison. Tu me demanderas pourquoi je pleure et je ne te répondrai pas. Quand on repartira, c'est toi qui conduiras et dans un long sanglot, un hoquet sans fin, je te dirai combien j'aime mon père, à quel point ce qu'il a fait pour moi est extraordinaire, à quel point il tient à moi, sans jamais rien dire, pour avoir pu faire cela. Je te dirai qu'en faisant cela mon père m'a sauvée, ou peut-être que non, parce que maintenant que je sais, maintenant que je l'imagine chaque semaine ou presque prenant la route pour une destination de hasard, choisissant un lieu qui lui convienne, achetant une carte postale, griffonnant ma sœur chérie je vais bien puis repartant, faisant semblant de ne pas voir, ne pas savoir, que je recevais ces lettres et que je pensais en les lisant : mon frère va bien, mon frère va bien, il est vivant et il pense toujours à moi, maintenant que je sais le mensonge superbe de tout cela, eh bien, je ne sais ce que je vais devenir. Tu me diras que peut-être je suis guérie de cela, l'absence de mon frère. Je te dirai non, je te dirai que survivre en recevant

50 de ses nouvelles, en sachant qu'un jour prochain j'irai le rejoindre, que forcément nos routes se rejoindraient dans les jours, les heures à venir, était possible. Je te dirai qu'il y a un an j'étais prête à mourir rien qu'à penser que mon frère était parti, avait fui mon père, ma mère et moi aussi, puisqu'il ne
55 me faisait aucun signe. Je te dirai que vivre avec son absence aussi complète, son silence, l'incertitude, le doute sur ce qu'il devient, sur le fait qu'il soit en vie, même, je te dirai que cela, je n'en suis peut-être pas capable. Tu t'arrêteras sur le bas-côté pour prendre mon visage dans tes mains et m'embrasser le
60 front.

Quand elle a rendu sa voiture au loueur, le type lui a demandé si tout s'était bien passé, où elle était allée, finalement. Portbail ? Vous avez dû avoir froid, en camping. Claire n'a rien répondu. Elle a laissé les clés, et puis s'est engouffrée dans le métro. Rue des Martyrs aucun message n'avait été laissé sur son répondeur. En montant, elle est passée devant le Shopi. Nadia n'était pas là. Elle est entrée, a acheté de quoi dîner, pour deux. Elle est ressortie avec deux sacs en plastique pleins à ras bord. C'était un peu lourd et les anses lui tranchaient les phalanges. Arrivée chez elle, elle a tout rangé dans le réfrigérateur, n'a rien préparé à l'avance. Il lui avait dit, achète les ingrédients, et je te fais à dîner. Elle s'est déshabillée, a pris une douche. Elle a pleuré.

Claire a enfilé une jupe assez légère, un tee-shirt pas trop voyant. Elle s'est maquillée à peine, s'est coiffée, a relevé ses cheveux, laissant sa nuque apparente, ou presque.

Claire a allumé des bougies un peu partout. Elle a mis un disque discret et très beau, Madredeus. Lui arrive avec un bouquet, deux bouteilles de vin rouge, recommandées par Jean-Luc Pouteau, meilleur sommelier du monde, une chacun, dit-il en souriant. Il porte un pull noir avec un col en V, au-dessus d'un tee-shirt blanc, un pantalon marron à carreaux, un cartable en bandoulière, bleu électrique, rempli d'albums photo. Ils sont côte à côte assis sur le canapé. Ils feuillettent les gros volumes étalés sur la table basse. Claire ne dit rien, hoche la tête quand il peut tourner la page. Il regarde autour de lui, revient à ses photos, boit une goutte de whisky. Les fenêtres sont ouvertes et on entend des voix de temps en temps, quelques éclats de musiques, diverses, mal accordées. Un chien aboie, un enfant piaille. C'est plein d'angles, en noir et blanc, des blancs très blancs, des noirs très noirs ou au contraire un nuancier de gris sans aucun extrême. Quand c'est en couleur, on ne sait comment l'effet survient, mais c'est assez pointilliste. Il y a pas mal d'enfants aussi, des enfants dont émane une nostalgie immense. Non, c'est de nous qu'elle émane cette nostalgie. C'est ça. Antoine photographie l'enfance plus que les enfants, et de cela provient la nostalgie. Claire pense à dire cela, à le formuler. Loïc aurait su. Mais Loïc… Elle le dit, avec maladresse, avec hésita-

tion. C'est exactement ça, dit Antoine. C'est ce que j'essaie de faire. Elle lui parle des angles, des jeux de lumière, des séries de
25 petits vieux émouvants, des effets d'eau et puis cette impression de photos prises par un voyageur. Quelqu'un de passage. Non ce n'est pas ça, dit Claire, ce serait plutôt l'exil. Claire dit que, peut-être, il y a un lien entre ça et ces photos d'enfance. Antoine dit oui, sûrement, il doit y avoir ce lien. Claire se sent infirme,
30 à ne parler comme ça qu'avec des demi-mots. Loïc est parti avec l'autre moitié. Ou plutôt Loïc est parti avec tous les mots. Les leurs. Ce n'est pas très grave, parce que Antoine semble comprendre. Parce qu'il semble compris aussi, et qu'entre ces deux-là, peu de mots suffisent, les phrases n'ont pas besoin d'être
35 finies.

– Ça t'arrive de finir tes phrases ?
– Non, pas récemment…

Ils rient. Le téléphone sonne. C'est Irène.
– J'appelais à tout hasard, au cas où tu étais rentrée. C'était
40 bien, la Creuse ?
– Oui, c'était pas mal. Il a un peu plu.
– Ah bon. À la météo ils ont mis des soleils tous les jours, pourtant.
– Tu sais, la météo…
45 – Alors tu viens passer trois jours chez nous, comme tu avais dit ?
– Oui, je viens. J'arriverai demain pour déjeuner.

– Ça me fait plaisir. Enfin, ça nous fait plaisir. À demain.

Claire dit merde, j'ai rien à me mettre, il faut que je fasse
50 une lessive. Antoine l'a suivie dans la salle de bains. Les fesses
de Claire sont à moitié posées sur la machine. Sa jupe est relevée sur ses cuisses. Antoine serre très fort son dos. Très doucement, il entre en elle. Claire a la tête un peu en arrière,
son tee-shirt est allé valdinguer dans la baignoire, ça les
55 a fait marrer.

IV

– Il y a une lettre pour toi, dit Irène.

Elle a attendu la fin du repas, comme toujours. Le moment où Paul est sorti dans le jardin, s'est installé sur une chaise blanche pour feuilleter un magazine où il est question d'ailleurs. Claire a pris l'enveloppe. Elle a sorti la carte, a lu à haute voix : Claire mon ange, je suis toujours à Portbail, plus pour longtemps je pense, je vais plutôt bien, je pense à toi. Irène a la larme à l'œil. Elle dit comme on confie un secret : laisse-la-moi, je la montrerai à ton père.

– Et pourquoi on n'irait pas à Portbail, tous les trois ? lance Claire.

La phrase a juste le temps de retomber qu'elle regrette de l'avoir prononcée. À quoi ça sert ?

– Tu sais, il est sûrement déjà parti. Et puis s'il ne revient pas, c'est qu'il n'est pas encore prêt, tu ne crois pas ? Il reviendra quand il aura pardonné à ton père. Enfin, quand il nous aura pardonné, moi et ton père…

Irène prononce ces mots avec tant d'embarras.

– Le café est prêt, chantonne Irène.

Ils le prennent tous les trois dans le jardin. À côté, on entend le grincement des balançoires. Par-dessus la haie monte la fumée des cigares.

– Et la Creuse, alors ?
– C'est beau.
– Tu avais des amis là-bas ?
– Oui, enfin une collègue, ses parents ont une maison, je suis restée un peu, pas trop longtemps, pour ne pas les déranger, parce qu'ils sont en couple.
– C'est bien que tu aies des collègues aussi gentils, a dit Paul.
– C'est vrai, c'est bien.

Il y a encore assez de soleil, les fleurs ont un peu de parfum, mais tout de même on sent que c'est la fin, que la rentrée est proche. Claire sent le mois de septembre qui entre par tous les pores et là, dans ce jardin, un instant, elle se sent exactement comme lorsqu'elle était au collège. Tout est identique. On croirait qu'après le café, on partirait en voiture pour le centre Évry 2, grande halte au Carrefour, acheter une trousse, toute simple, en cuir noir ou marron, des stylos, des Bic ou des Reynolds, une gomme, un stick de colle, un portemine, des ramettes de feuilles doubles grands carreaux, perforées, petits carreaux pour les maths, quelques classeurs à couverture souple, pour remplacer ceux où Claire a inscrit au marqueur noir le nom d'un ou deux chanteurs, les paroles d'une chanson qu'elle aime. Loïc serait là, au milieu des rayons, choisirait le strict minimum, un stylo noir, un stylo rouge, une règle, un crayon de papier et une gomme, des feuilles. Claire essaierait quand même d'obtenir un agenda Chipie, un ou deux cahiers Creeks.

Irène retournerait les articles, regarderait le prix, l'air embêté. C'est un peu cher, non ? Claire dirait tant pis, je vais en prendre d'autres. Irène n'aurait pas le cœur de la laisser faire. Après le Carrefour, on ferait le tour des boutiques de vêtements. Un jean neuf, un petit haut à la mode, un pull qui devra faire la saison, pour le blouson, Claire gardera celui de l'an passé. Par contre les chaussures, il faut les changer. Irène propose des modèles en cuir assez classiques, Claire ramène des baskets à semelles compensées, on s'entend sur des bottines à la fois modernes et solides. On rentre à D., le soir on montre tout à Paul. On voit bien qu'il oscille entre l'envie de s'émerveiller avec ses enfants et l'angoisse qui précède la révélation du prix de tout cela, surtout qu'après il y a les livres, et puis Loïc n'a plus de manteau d'hiver un tant soit peu présentable. On attendra novembre, les premiers froids. Claire et Loïc embrassent Paul pour lui dire merci. C'est assez bizarre, on s'embrasse rarement, juste pour dire merci, pour les anniversaires, la Noël, et puis le soir quand Paul rentre du travail, mais très furtivement, à tel point que parfois, on ne se touche même pas, seul le mouvement reste. Paul travaille à ce moment-là. Il prend le RER C et le métro tous les jours, deux heures et demie de trajet par jour. Ça lui laisse du temps pour lire. Toujours, le matin, il part avec un livre à la main.

Claire respire cela, ce parfum de rentrée des classes. Irène est entrée dans la maison feuilleter un magazine. Paul a décrété qu'il allait faire un tour en forêt, en vélo. Il propose à Claire de l'accompagner. C'est d'accord, tu prendras le vélo de ta mère, il marche bien. Claire n'est pas montée sur un vélo depuis des lustres. Depuis Loïc, leur tour du dimanche matin. Départ vers onze heures, retour à treize. On met le couvert. C'est le repas du dimanche. C'est à la fois joyeux et brumeux de mélancolie, le lendemain qui déjà s'immisce, aller au lycée, quitter le chaud de la maison. Après déjeuner, ils s'enferment dans la chambre de Loïc, font leurs devoirs pour la semaine, s'interrompent souvent pour discuter, ne s'arrêtent plus de parler, parfois, et se retrouvent encore à onze heures du soir penchés sur une dissertation ou un exercice de maths, la radio allumée dans la nuit. Odeur de soupe persistante, le son des films du dimanche soir qui monte à l'étage.

Plus petits, on partait avec Paul, à trois en vélo. On descendait à fond sur D., enfin, le centre, complètement mort le dimanche, avec les cagettes qui volent, les tomates écrasées, traces du marché qui se tient là le matin. On prend la petite entrée, et on passe les grilles. C'est une sorte de ville dans la ville, un village dans le village, où tout semble préservé. Les maisons à étages entourent le lac. Les cygnes y glissent, majestueux. Dans les jardins on voit des tables de ping-pong délaissées, des meubles de jardin un peu rouillés, une natte oubliée, un barbecue en brique, une balançoire, des roses trémières. On descend encore jusqu'à la base de loisirs. Entre eux, Paul et les enfants appellent ça la base. C'est encore assez sauvage à l'époque. Pas de petit train, pas de terrains de tennis ni de minigolf. Juste des lacs, des ponts en ferraille par-dessus les bras de Seine, d'où on regarde passer les péniches, juste des lattes de bois, juste de vastes étendues, un peu vallonnées, des coins à lapins, des broussailles, des bois épais semés de ronces, des allées très parfumées, longées de buddleias[1]. On fait le tour de tout ça, il y a un parcours de bosses. On fait la course. Loïc gagne et Paul a un peu de mal à suivre. Claire est au milieu, tout écarlate, fière d'avoir devancé son père. Le grand moment, c'est la partie de foot. Paul tire toujours par les maillots, alors on se roule dans l'herbe, on se tacle gentiment, on lance les ballons loin devant, très haut en l'air, on court comme des chiens ou des dératés. Après ça tout le monde est rouge, essoufflé, et il faut remonter toutes les côtes jusqu'à la maison. Les pulls en laine grattent un peu, on a des brins d'herbe partout dans les cheveux, les genoux sont verts. Ça sent le soir, petite odeur de fumée, humidité brumeuse si c'est l'automne, l'hiver, parfum de soir d'été sinon, comme partout ailleurs, les fleurs lavées, les pelouses mouillées, la douceur de l'air.

1. Arbustes des jardins, aux petites fleurs, originaires de Chine.

Dans la forêt où traînent les chiens tirant leur maître, quelques jeunes couples avec poussette, Claire suit Paul avec un peu de difficulté et dans le silence. Mais les mots brûlent les lèvres.

– Papa, je t'ai vu à Portbail.
– …
– C'était gentil, tu sais.

Il y a un trouble dans le regard de Paul, un regard qui tente de se poser sur Claire. Les yeux se croisent, juste un instant, avec la buée qu'il faut et Paul se rattrape de justesse, redresse son vélo qui a heurté une racine.

– Voilà ce qui arrive quand on regarde pas où on roule…
– Tu l'as dit à ta mère ?
– Pourquoi, elle n'est pas au courant ?
– Si, bien sûr. Je te demande si elle sait que tu sais.
– Non.
– T'inquiète pas. Je lui dirai.
– Tu lui diras merci pour moi aussi.
– D'accord. On fait la course ?

20 Claire s'est levée de sa selle. Elle pédale de toutes ses forces. Paul baisse la tête. Rien n'est dit, mais on sait bien que l'arrivée est prononcée au niveau du grand chêne. Claire dépasse Paul. Elle l'entend qui souffle. Son visage est cramoisi. Elle gagne. Ils font une pause. Paul, penché sur son guidon, cherche 25 à reprendre son souffle.

– Je vieillis, ma petite...
– Mais non, papa. C'est pas toi qui es vieux. C'est moi qui suis jeune.
– Tu es gentille. J'ai pas dit que j'étais vieux, j'ai dit que je 30 vieillissais.
– Papa, j'ai peur.
– Tu as peur de quoi ?
– J'ai peur qu'il ne soit arrivé quelque chose à Loïc.
– Mais non. Ne t'inquiète pas. S'il lui était arrivé quelque 35 chose, on aurait fini par le savoir. Tiens, tu as vu l'écureuil ?

Machinalement, sans vraiment s'en rendre compte, Claire et son père arrivent près de la résidence. Un petit chemin boueux les sort de la forêt, longe l'ancienne piscine, bassin vide où s'amassent les feuilles mortes. Au croisement, Paul manque de 40 se faire écraser. La voiture a pilé. La jeune conductrice a fait des grands signes. Paul a pris un air désolé, s'est remis en selle.

– Ben alors, on voit plus les feux rouges ?
– J'étais distrait.

Claire est dans sa chambre d'enfant. Elle feuillette quelques bandes dessinées. C'est la nuit. Une veilleuse tourne en projetant des ombres sur le mur. Le téléphone sonne. C'est pour elle. C'est Antoine. Elle n'aurait pas cru. Qu'il rappellerait. Jamais on ne la rappelle.

– Alors, ça se passe bien ?

– Oui. Ça va. Je me sens un peu bizarre. J'ai l'impression de redevenir toute petite. Comme avant. Quand j'habitais ici, mais ça n'a rien à voir.

– Parce que Loïc n'est pas là.

– Oui.

– Tu lui as dit à ton père ?

– Oui.

– Et qu'est-ce qu'il a dit ?

– Rien. Il avait l'air soulagé.

– Ben oui, ça va lui faire économiser des kilomètres.

– T'es trop con.

– Attends, je rigole.

– Non, je crois qu'il s'attendait à des larmes, des cris. Que je lui en veuille peut-être. Je ne sais pas s'il est rassuré, quand même. Je pense qu'il a peur.

– Tu crois qu'il a raison d'avoir peur ?
– Tu veux dire pour moi ?
– Oui.
25 – Je ne sais pas. Pour l'instant ça va. Je crois que je ne réalise pas.
– Tu pleures ?
– Non, j'fais un tennis.
– On se voit quand ?
30 – Je sais pas, dimanche soir.
– Bon, alors à dimanche. Chez toi ?
– Non, chez toi.
– Faut qu'je range, alors.
– T'as deux jours. Un peu moins.

Dans la voiture qui les ramène à la gare, Irène ne demande pas à Claire comment elle se sent. Elle dit juste : on n'a même pas eu le temps de parler. C'est vrai qu'on a peu parlé. On a visionné des films de vacances. Paul a parlé de les faire monter sur cassette vidéo, ce serait plus pratique. Irène a pensé que dans le noir Claire ne verrait pas qu'elle pleurait. Sur l'écran s'agitaient des enfants muets, poursuivant un chat, juchés sur des tricycles, jouant de la guitare avec une raquette de tennis tandis que Claire s'époumonait dans le poireau qui lui servait de micro. Loïc a soufflé les bougies et le sucre glace a recouvert le visage de tonton Jean-Pierre, on a bien rigolé. On voyait mamie, avec son chien à ses pieds, qui préparait des cornichons en regardant jouer les enfants. Tout le monde s'est autorisé à avoir un serrement de gorge. Claire a repensé à sa grand-mère, la mère de sa mère. Quelques images ont défilé. Elle se souvient surtout des fois où, pendant la maladie, sa grand-mère disait des trucs comme : quand je serai guérie, on ira jouer au foot, tous les trois, dans le parc, comme avant. Claire lui faisait un sourire très doux. Elle ne savait pas comment se comporter. Elle regardait Loïc qui renchérissait, faisait mille et un projets. Le pire, c'est que contrairement à eux, et même si elle s'en doutait sûrement, elle ne savait pas la vérité, sur sa mala-

die. Elle ne savait pas qu'elle allait mourir. Elle pensait sûrement, dans un coin de sa tête, qu'effectivement, au printemps,
25 ils iraient dans le parc et qu'ils se lanceraient le ballon.

Claire a regardé les albums photo. Des dizaines d'albums remplis d'elle et de Loïc. Irène y figure aussi, quelquefois seule, le plus souvent avec les enfants. Paul rarement. Sauf les tout premiers, avec les photos en noir et blanc, les Polaroid. Paul et
30 Irène doivent avoir vingt-cinq ans, ils viennent de se marier. Ils ont l'air heureux, solides. On pressent que pour eux, la vie semble une chose à bâtir. Claire n'a pas vingt-cinq ans. Mais elle sait qu'elle ne rejoindra pas ces images. Elle ne trouve pas ça grave. Ni triste. Elle se répète les paroles d'une chanson
35 qu'elle aime bien, qu'Irène et Paul, à vingt-cinq ans, n'auraient pas aimée : « À part sortir quand tout est fini main dans la main de celle qui nous a choisi il n'y a rien à gagner ici. » Claire la chante l'air de rien, en feuilletant cette jeunesse qui n'est pas la sienne, qui ne lui ressemble pas et qui pourtant lui a donné
40 naissance.

Claire n'a rien dit à Irène. Irène n'a rien dit à Claire. L'affaire est entendue, et quand au sortir de l'auto Claire dit merci pour tout, chacune sait ce que contient ce tout. On se téléphone… À bientôt.

Ça sent le dimanche soir, la fin des vacances. Claire a un petit pincement au cœur à l'idée de retrouver sa caisse. Sa caisse ou autre chose, vendre des conserves ou des bouquins, c'est égal. Le problème n'est pas là. Le problème est qu'il faut faire quelque chose plutôt que rien. Et qu'on doit « s'estimer heureux, avec tous ces gens dans la rue ».

Antoine n'habite pas très loin. Rue Pigalle. Un appartement mal foutu, avec une cuisine à l'américaine et deux pièces qui n'en sont qu'une, séparées par un truc en contreplaqué coulissant assez années soixante-dix et qui donne un aspect bordélique à l'ensemble, même quand c'est rangé. Il a préparé un repas à thème, avec du whisky dans tous les plats. Pâtes à la sauge, steaks au poivre, fruits flambés. C'est pas bon, les mélanges, dit-il. Chez lui, pas de photos aux murs. Seulement des tableaux. Des reproductions que lui a faites sa mère : Nolde, Kandinsky, Baselitz. Un tableau de sa meilleure amie, Julie. Claire tique un peu. Sur « meilleure » amie, ou sur meilleur « e » ami « e ». Elle ne sait pas trop. Qu'est-ce qu'elle est, elle, pour Antoine ? Un peu plus tard elle danse pour lui tout seul. Elle se sent un peu ridicule, un peu gauche, mais Antoine l'encourage à continuer. Claire voit un peu s'éloigner le spectre des codes-barres. Antoine, au contraire, semble peu à peu céder à la mélancolie des fins de vacances. Il est instituteur. C'est sa première année en tant que titulaire, sans personne derrière, avec vingt gamins en survêtement devant lui. Certains ont l'âge d'être au collège et tenteront de l'insulter dès le premier jour, pour voir. D'autres l'énerveront, toujours à venir le voir, à lui offrir des cadeaux pittoresques, à fayoter. Antoine est un peu angoissé. Il se sent une responsabilité immense. Il a choisi ce métier parce qu'il voulait se sentir utile, trouver un sens à ce qu'il ferait. Tout ça l'impressionne aujourd'hui. Il s'est tellement dit que c'est maintenant que se jouent tant de choses. L'échec scolaire, l'intégration, en particulier. Il a peur de ne pas être à la hauteur, de finir au bout d'un mois par pester en disant qu'il a hérité d'une classe de nuls, de devenir rapidement fataliste et de finir par penser que contre la démission des parents, on ne peut rien. Ils sortent faire un tour. Claire est un peu étonnée par les bonjours qu'échange Antoine avec les quelques putes qui traînent rue Pigalle, rue Frochot ou rue Fontaine.

– Tu les connais ?

– Comme ci comme ça.

– Tu es allé les voir ?

– Non, mais il m'est arrivé de prendre un café avec une ou deux d'entre elles.

– Vous avez parlé de quoi ?

– De tout, de rien, de la pluie et du beau temps. Des trucs bizarres qu'on leur demande.

– Et alors ?

– Et alors rien. Pas de fouet, pas d'animaux. Juste des types
50 avec des costumes froissés, mal coupés, des cravates fantaisie,
qui sortent du bureau et qui veulent se faire sucer.

– Et ça ne te choque pas ?

– Non, pas particulièrement.

Plus haut, près du buste de Dalida, Claire et Antoine se pas-
55 sent et se repassent la bouteille de whisky. Claire fait des grimaces à chaque fois qu'elle attrape le goulot. Chez elle, ils
s'endorment à peine arrivés. Ils feront l'amour dans le matin,
plutôt engourdis, dans un halo[1] un peu moite. Claire restera
bien vingt minutes sous la douche pour se réveiller. Quand elle
60 sortira en dansant, nue, passant les mains dans ses cheveux,
Antoine se sera rendormi et elle se sentira un peu conne à cause
du cinéma qu'elle vient de faire pour personne. Pour se venger,
elle lui enverra un coussin dans la figure. Il ouvre un œil.

– Tu passeras au Shopi pour me filer les clés. J'ai pas de
65 doubles.

– Ouais ouais.

Il semble se rendormir aussitôt. Claire enfile une jupe d'été,
un haut à fleurs, se fait des nattes qui lui font paraître seize ans.
Dehors il ne fait pas très beau, mais elle veut contrer cette
70 impression maussade, cette reprise généralisée. Généralisée mais
pas générale. Pour Nadia c'est l'avant-dernier jour. Je ferais pas

1. Zone de lumière diffuse.

ça toute ma vie, dit Nadia. Elle dit aussi que ça lui fait toujours du bien, ce genre de job d'été. Que ça remet les choses en place. Elle qui se plaint toujours des études, eh bien, ça la dissuade
75 d'arrêter. Elle dit comme ça : voilà le métier de con que je ferais si j'arrêtais mes études. Claire voit bien à quoi Nadia veut échapper. Pour autant elle se demande : pour aller où ? Pour faire quoi ? Je sais pas moi, faire un truc où tu as des responsabilités, où tu es créative… Tu veux bosser dans une agence de
80 pub ? Non ça va pas la tête. Je sais pas moi, un truc utile, quelque chose qui me passionne. Un job qui soit aussi un plaisir, qui soit ta passion. Ma passion c'est les légumes, plaisante Claire en voyant arriver une femme en survêtement blanc, lestée de yaourts au bifidus actif, de concombres et de brocolis. Je
85 disais pas ça pour toi, dit Nadia.

Ça vous fera cent quatre-vingt-quatorze francs tout rond. Comment tu t'appelles toi ? C'est bien, Romain, comme nom, et t'as quel âge ? Oh tu fais plus. On croirait que tu es au moins en CM2. Merci. Votre monnaie. Au revoir...

– T'aimes bien les morveux, toi ?

– Oui bien sûr. Sauf que je dis les enfants. Ou les gosses à la rigueur. Pourquoi, pas toi ?

– Bof. Je trouve ça chiant. C'est toujours tout dégueulasse, toujours dans tes pattes à te demander des trucs, ça gueule, ça pleurniche, c'est plein de morve...

– Tu veux pas avoir d'enfants plus tard ?

– Ben non. J'ai pas envie de m'emmerder avec ça. En plus tu vois, avec toute cette violence, le chômage, les fachos[1], toute cette merde, je sais pas si c'est un service à rendre à un gosse que de le mettre au monde alors qu'il a rien demandé, qu'il en bavera pour pas un rond. Et toi, t'en veux ?

– Oui. Enfin, je crois. Je sais pas trop.

– Pourquoi ?

---

1. Contraction de *fascistes*.

– Je sais pas. C'est juste que j'adore les enfants. C'est que, quand je les regarde, comme ça, jouer dans un parc, ou dormir, ça me lave. Des fois, j'en garde, juste pour me faire un peu de fric. Eh bien, pendant les heures que je passe avec eux, j'oublie tout, je ne me pose pas de questions, je sais pas, moi, je suis bien. Comme quand j'étais gosse, avec Loïc.

– C'est vachement égoïste, en fait. Tu veux faire un gosse parce que ça te fait plaisir. Tu penses même pas à lui. Si ça se trouve tu vas faire un petit névrosé de plus, gonflé au Prozac.

– …

Trois packs de Kro, des rillettes Reflets de France, un paquet de pain de mie Harry's, quatre tranches de jambon blanc Herta, de la margarine tournesol. C'est interdit de fumer monsieur. Je dis c'est interdit de fumer monsieur. Oh, c'est pas la peine d'être grossier. Ça vous fera quatre-vingt-trois francs. Mais merde, arrêtez de me souffler dans le visage. De toute façon tu sens mauvais de la bouche…

Nadia regarde Claire, interloquée.

– Alors là, tu m'as soufflée. Tu l'as vu partir ? La honte qu'il s'est payée ce gros porc.

Antoine est entré, mais Claire ne l'a pas remarqué. Il a disparu quelques minutes dans les rayons, est revenu avec une bouteille de Coca sous le bras et s'est mis sagement dans la file. Nadia, elle, l'a remarqué. Elle le fixe. Assez discrètement, elle a
5 même fait sauter un bouton de son chemisier. Antoine arrive à la hauteur de Claire.

– Mademoiselle, je vous trouve charmante.

– Merci.

– Vous finissez à quelle heure ?

10 – Dix-huit heures, monsieur.

– Et vous avez prévu quelque chose, ce soir ?

– Eh bien, disons que j'ai prévu de prendre un verre avec vous, et qu'ensuite la nuit sera à nous.

– Très bien, je passerai donc vous chercher à dix-huit heures
15 trente.

– À ce soir.

– À ce soir.

– Au fait, vous n'êtes pas mal non plus.

Claire s'ennuie. Nadia et Antoine n'en finissent pas de discuter. Et Claire, elle, s'ennuie. Ça a commencé dès le café. À vrai dire, même un peu avant, quand Claire a présenté Antoine à Nadia. Antoine lui a proposé de se joindre à eux. Nadia avait 5 l'air contente, elle avait passé l'après-midi à bassiner Claire avec ce mec vraiment top qu'elle avait invité à prendre un verre ; Nadia avait trouvé Claire vachement gonflée. Ça l'étonnait. Quand Antoine est arrivé et qu'il a embrassé Claire, Nadia a dit : ah, ben ça m'étonnait aussi.

10 Et tu fais quoi dans la vie ? J'étudie la socio. Ah ouais, bourdieusienne je suppose. Euh ben euh c'est-à-dire ouais, plutôt bourdieusienne. Et pof, ça s'engage sur des terrains minés pour Claire, qui n'y connaît rien, qui ne s'y intéresse pas trop, qui lorsqu'il s'agit de livres, est larguée dès qu'on sort du roman. 15 Là-dessus sont arrivés des copains d'Antoine, deux couples, rien que des thésards[1], des DEA, des cultureux. Ça parle cinéma, ça fait des grandes phrases. « Et toi Claire, tu l'as vu *Hana-bi*[2] » ? Oui. Et t'en as pensé quoi ? J'ai aimé. Ils attendent que tu for-

---

1. Familier. Personnes qui préparent une thèse universitaire.
2. Titre du film japonais de Takeshi Kitano.

mules une autre phrase, un jugement, une ébauche de réflexion.
20 Tu rajoutes juste, gênée : « C'était un beau film. » C'est gagné, ils ne t'adresseront plus la parole pendant le reste de la soirée, continueront à formuler des phrases bien enchaînées, à développer des points de vue, recadrer des débats, resituer des problématiques. Plusieurs conversations s'emmêlent. Politique,
25 sociologique, cinématographique. Près de toi, une fille s'est laissé avoir, elle a perdu le fil au mauvais moment, juste le temps d'aller aux toilettes. La voilà exclue des tirs croisés. Elle finit par t'adresser la parole. Et toi, t'as fait quoi comme cursus[1] ? Mais putain, qu'est-ce qu'ils ont tous avec cette question ? C'est tou-
30 jours ça. Tu fais quoi comme métier, tu gagnes combien, tu l'as lu ce bouquin. Sup de caisse, tu réponds. La fille a l'air vexée.

Claire s'ennuie. Les amis d'Antoine ont fini par partir. Du théâtre. À La Colline. Du spectacle vivant comme ils disent. Claire n'aime que le spectacle mort. Le ciné, les romans. Les
35 types maquillés qui parlent en gueulant pour qu'on les entende, leur parole outrageuse, terroriste, leurs airs entendus et supérieurs, Claire ne supporte pas. Au théâtre elle se sent mal, exclue, perdue, forcée de partager, de voir, violée. Elle se sent indésirable. Pas de main tendue. Vous êtes en dehors de tout
40 ça, notre univers, notre langage, eh bien, restez-y. Alors Claire y reste, elle s'en fout. Elle a les bouquins, le ciné.

---

1. Cycle, parcours de formation.

Après leur départ, Antoine a proposé qu'on aille dîner chez lui. C'est qui on ? s'est demandé Claire. Nadia, elle ne s'est pas posé la question. Claire n'a pas tout suivi, mais elle a bien vu
45 qu'au cours des conversations, Nadia et Antoine se sont trouvé nombre de conceptions communes. Des références partagées. Ils ont des tas de choses à se dire. Claire préférerait en vivre. En ressentir. En éprouver. Sup de caisse. Claire rigole toute seule en repensant à ça. Antoine et Nadia la regardent, interlo-
50 qués. Sans doute naviguaient-ils au creux d'habitus situationnistes[1], de nouvelle nouvelle nouvelle vague russe, de dogme[2] parasymbolique[3], de concepts financiers et de crises philosophico-monétaires. Et Dieu, dans tout ça ? Tout se mélangeait vaguement, Claire n'écoutait plus. Elle a repensé à cette fille,
55 une pétasse, en y réfléchissant. À sa réplique, et elle s'est marrée.

– Qu'est-ce qu'il y a de drôle ?

– Rien rien.

– Mais si, qu'est-ce qu'il y a de drôle ? Tu ris, tu dois bien
60 avoir une raison de rire.

Antoine a un air dur tout à coup. Claire lui dit :

– Je pensais à un truc, c'est tout. Un truc marrant.

– Ah ouais, je te signale qu'on était en train de t'expliquer quelque chose, et toi, tu penses à un truc marrant pendant ce
65 temps-là.

---

1. Comportements caractéristiques des adeptes du situationnisme : mouvement d'avant-garde culturelle et politique dans les années 1960.
2. Opinion imposée comme une vérité indiscutable.
3. Terme inventé par l'auteur pour se moquer de la prétention intellectuelle des jeunes gens.

– Ah bon, vous me parliez ?

Ils ont l'air outré[1].

– Ben oui. Tu as posé une question. Tu ne te souviens pas ?

– Non. C'était quoi comme question ?

70 – Tu nous as demandé qui était Guy Debord[2].

– Moi j'ai posé cette question ?

– Ben oui. Putain, c'est pas comme ça qu'on y arrivera.

– Qu'on arrivera à quoi ?

Antoine regrette déjà tout ça. Ses sous-entendus, ses airs de 75 professeur, cette pointe de mépris. Claire s'est levée. Elle a juste dit : « Je m'en branle de Guy Debord. Je t'ai demandé ça parce que je voyais bien que ça te faisait plaisir de déballer ta science. C'est tout. Je voyais bien que ça te faisait plaisir de faire ton cours à la petite caissière de service, comme si c'était une gosse 80 de ta classe. » Claire s'en va. Nadia et Antoine commentent vaguement la situation, invoquent deux, trois concepts[3]. Après ça, Nadia suce Antoine qui la prend par-derrière.

1. Indigné, irrité.
2. Philosophe théoricien du situationnisme.
3. Idées générales et abstraites.

Claire a mal au cœur. Le mélange lait-Milka noisettes entières-whisky passe mal. La télé diffuse un truc vaguement érotique. Claire n'a pas la force d'aller jusqu'à la télécommande qui traîne sur la table basse. Ça se caresse sous la douche, ça baise dans les vestiaires des saunas. Claire rigole un peu parce que sur un plan, on voit que le type porte un slip. Avec en arrière-fond sonore les sonates pour piano et violoncelle de Brahms qu'écoutait toujours Loïc, le dimanche après-midi, quand le salon prenait la lumière, allongé sur le tapis, ça donne un effet bizarre. Un léger décalage. Les visages tordus sur le fil très pur du violoncelle. Encore que Claire n'aime pas trop ce mot : pur, pureté. Mais c'est celui qui convient le mieux, là, à ce moment précis. Encore qu'innocent… Non, finalement elle préfère pur.

Loïc lui manque. Les mains de Loïc sur son front, prise au creux du chagrin. Leurs chemins mêlés. Tous les deux dans les mêmes pas. Claire se lève et éteint cette putain de télé. À la fin, les membres enchevêtrés, le gras des peaux mal filmées, ça lui donnait envie de vomir. Il reste juste le violoncelle posé sur la nuit.

Julien passe sous ses fenêtres. Il est tard et comme toujours Julien a marché longtemps dans les rues, sans but aucun, juste pour marcher. En passant rue Girardon, pour rigoler, il a caressé les seins de Dalida.

Nadia n'est pas là. Monsieur Robert dit qu'elle a téléphoné pour dire qu'elle était malade. Comme c'était son dernier jour, elle l'a chargé de souhaiter bonne chance à Claire. Claire trouve ça gentil. Monsieur Robert aussi. Maud s'en fout. Elle ne paraît pas vexée qu'à elle on n'ait rien souhaité. Maud a son air placide de tous les jours. Sa tronche de gros légume à lunettes. Claire se demande parfois ce qu'il y a derrière. À quoi peut bien ressembler sa vie. Elle ne porte pas d'alliance, ne semble pas le genre à vivre avec un homme sans se marier. Maud l'aubergine, Maud la courgette, Maud le navet. Qu'est-ce qui se cache derrière tes lunettes à gros verres ? Tu dis jamais rien. Ou alors on ne t'entend pas. T'es mariée, Maud ? Oh Maud, je te parle. Tu rougis. C'est pas possible. T'as quarante ans ou plus et tu rougis quand je te demande si tu es mariée. Enfin Maud, je t'ai pas demandé si t'aimais mieux ça par-devant ou par-derrière, je te demande si tu es mariée, si tu as des enfants. Claire s'en veut. Elle ne se reconnaît pas. Pardonne-moi, Maud, je suis fatiguée, je dis n'importe quoi. Maud pleure. Ses joues sont roses, ses yeux rougis. Elle sanglote connement.

Claire pleure aussi. Elles sont toutes les deux à leur caisse, dans le supermarché aux clients rares et indécis, à pleurer comme ça. En silence. Comme un vase qui déborde. Claire répète entre ses dents : putain, Loïc, merde, tu fais chier. Elle ne prête aucune attention à Julien. Lui n'ose pas s'approcher, tourne autour du pot, patiente comme il peut. Il n'est pas pressé. Sa bouteille de Jameson, son rouleau de Pringles, ses deux tranches de jambon, ses courgettes, sa coriandre et lui, ils peuvent attendre. Ça fait pas mal de temps déjà qu'ils attendent. Des semaines, des mois. Alors en attendant, il descend les escaliers. Rayons cornichons, papier-toilette, shampooings et casseroles. Un vigile le suit. Lui, il flâne, touche du bout des doigts les flacons, les bouteilles, le plastique et le verre, fait le tour des produits sans en saisir aucun, sans même les regarder tout à fait. Le type l'observe d'un air étrange, comme s'il le suspectait de vouloir subtiliser un grand paquet de Moltonel à Monsieur Shopi.

– C'est quand même con qu'elle pleure, vous ne trouvez pas ? Juste le jour où enfin je m'étais décidé à l'aborder. Enfin l'aborder. Disons plutôt lui glisser un mot ou deux. Un truc dans le genre : ça vous va bien les nattes. Mais bon, aujourd'hui elle porte ses cheveux complètement dénoués, vous avez remarqué ? J'aurais jamais cru qu'ils étaient si longs. Et en plus elle pleure. Vous avez vu, elle pleure.

– …

Julien en a marre d'Ariel, Bonux, Vizir et toute la bande. Il remonte. Le vigile a l'air de le prendre pour un fou, pense qu'il joue un drôle de jeu, qu'il prépare un sale coup. Le genre de type à donner un rendez-vous à un mec pour lui refiler de la coke devant le rayon des Moltonel.

Julien repose tout. Il passe dans chaque rayon et remet les produits bien à leur place. Il va sortir sans rien lui dire. C'est pas grave. De toute façon, il n'était pas en état de l'aborder. Et elle n'était pas en état qu'il l'aborde. Tout est bien qui finit bien. Julien sait bien qu'il est tôt. Il sait. Il sait qu'il a trop bu. Que ça ne se fait pas au matin. Il sait tout ça. Mais pour l'aborder, pour s'y résoudre, il lui fallait ça. Juste une goutte. Et puis une deuxième, quelques verres…

Julien ressort, côté rue Notre-Dame-de-Lorette. En repassant devant l'entrée de la rue des Martyrs, il voit bien que Claire ne pleure plus, qu'elle garde un léger trouble dans le regard, tandis que les rayons optiques décryptent les codes-barres, mais qu'elle ne pleure plus. Il est trop tard, pourtant. Julien a mis le peu de courage qu'il détient dans cette tentative avortée. Il a la journée devant lui. C'est jour de repos. Il va écrire un peu. C'est facile et ça délasse. En passant devant les vitrines, Julien observe son reflet. Il a l'air fatigué. Ses cheveux sont longs et il n'aime pas ça. Un jour, c'est sûr, il ira chez le coiffeur et c'en sera fini de cette coupe débile, cette queue-de-cheval. Un jour… Il se rasera tous les jours, portera des chemises un peu brillantes, des costumes noirs et cintrés et il se ressemblera enfin. Claire en le voyant arriver avec ses pots de tarama et ses Chipster lui fera un sourire dont elle a le secret, un sourire très émouvant, très simple, sans arrière-pensée, mais très émouvant.

Julien rentre chez lui. C'est tout près. À deux pas. Rue 75 Lamartine. Alors forcément, ça fait pas mal de temps qu'il va faire ses courses au Shopi de la rue des Martyrs, qu'il prend toujours la même caisse, même quand il y a la queue, celle de Claire. Ça fait pas mal de temps qu'il lui tend des packs de lait, du papier-toilette et des steaks hachés, avec à la bouche un sou-80 rire qu'il espère explicite. Pas mal de temps qu'il hésite et tergiverse, se décide et se retrouve quinze minutes plus tard dans son petit appartement, à ne savoir que faire. À part écrire. Ou, peut-être, lire. Mettre un disque, manger quelque chose. Regarder le plafond qui s'écaille et s'effrite, les murs plus si 85 blancs. Appeler Lionel à son bureau, pour parler d'un livre, le sien, toujours en projet, chantier perpétuel, ou un autre. Attendre le soir où il finira bien par rejoindre quelqu'un quelque part, par trop boire, trop parler, tirer la couverture à lui et se dégoûter. Dormir comme une masse, se sentir déjà 90 vieux, avec ses vingt-cinq ans et son ventre, sa peau sans tenue. Se lever, prendre une douche, partir sans rien manger, prendre le métro, arriver au bureau, dire bonjour à Carole, qui vient lui porter un café, juste par gentillesse. Faire semblant de s'affairer en attendant qu'arrivent les collègues, le chef. Reprendre le 95 texte où il l'avait laissé la veille, en corriger un autre. Écrire encore. Écrire des textes, des présentations, des notes d'intentions, rédiger des dossiers de presse, des avant-programmes, des avant-projets, des tas de papiers, reliés ou non, parfois agrafés, qui tentent de convaincre tout le monde, la presse, les mécènes[1], les subventionneurs, que c'est bien d'écrire, que c'est encore mieux de s'écrire, et que Julien et ses collègues méritent par conséquent d'être soutenus dans leur noble entreprise : pousser chacun à écrire des lettres, des e-mails. À communiquer. À correspondre. Pour « dire ce qu'on ne peut qu'écrire ». Oui, Julien écrit des conneries dans ce genre. Lui qui n'écrit jamais à personne. Lui qui n'écrit que pour de l'argent ou pour le plaisir. Il encourage les gens à s'envoyer des souvenirs de vacances ensoleillées, des mots doux, des bisous à grand-mère au mieux ; des cartes postales sans intérêt, des lettres humides aux confessions baveuses et collantes au pire. Quand il a fini, il fait lire ses textes à Étienne, pour qu'il se marre un coup, les fait relire par Amel et Geneviève pour qu'elles les corrigent et s'assurent une fois pour toutes qu'il est payé à rien foutre, à son chef pour qu'il les valide. Ce dernier se fend parfois d'un : là, vous y êtes allé un peu fort. Il sourit en disant ça. Quand il sourit, il ressemble encore plus à Mr. Maggoo. Mister Maggoo est le patron d'une boîte d'ingénierie culturelle[2]. C'est un nom un peu pompeux. Mais les autres sont pires ou pas mieux : bureau de consultants ou de conseillers, cabinet d'experts, agence de création d'événements ou de communication événe-

1. Personnes qui aident financièrement, par goût des arts, des créateurs, des savants, des organismes de recherche, etc.
2. Entreprise qui étudie sous tous ses aspects un projet culturel et aide à sa réalisation.

mentielle… Pour déconner, parfois, comme on demande à Julien ce qu'il fait, il répond : « Ingénieur culturel. » Il dit ça sans se marrer. Ça fait toujours son petit effet. Là-dedans, on l'a collé au département « événements littéraires ». En ce 125 moment, il s'occupe d'une manifestation autour de la correspondance, en Provence. Il travaille aussi sur une étude en Picardie, ce qui est moins drôle, l'oblige à se lever tôt pour prendre des tortillards[1] inconfortables qui circulent au milieu de rien, cernés de betteraves et de petits pois. Les gares sont 130 désertes et sous la pluie. Il faut marcher pour aller dans les lycées agricoles et vérifier que si les lycéens ne vont pas au spectacle c'est parce qu'ils préfèrent faire autre chose. Lui, il le savait déjà, mais les cultureux ont toujours un mal fou à enregistrer ce genre d'arguments. Pour leur faire comprendre, Julien ressort tou-135 jours l'exemple du sport. C'est pareil, les sportifs veulent toujours vous embarquer, vous convaincre que c'est bon pour vous alors qu'on ne leur a rien demandé, qu'on était peinard à vider des sachets de tacos en regardant *Les Quatre Cents Coups*[2] en vidéo. Il pleut, Julien attend des bus à l'abri dans des cabines 140 téléphoniques improbables, placées au hasard le long d'une route où passent des poids lourds et des paysans en R 18. Break, la R 18. La Picardie est laide et même les lycéens ont l'air triste.

---

1. Familier. Trains qui circulent lentement.
2. Titre d'un film de François Truffaut (1959).

Claire se sent seule. Elle a trop mangé. Du Nutella à même le pot. Avant ça, elle a fait une lessive, a passé un coup de fil à Irène. Elle lui a demandé si Loïc avait écrit. Irène a paru troublée et un long silence a suivi. Tu es sûre que ça va. Non ça ne va pas très bien. Irène n'a pas su comment répondre. Elles se sont dit au revoir. Après avoir raccroché, Irène a rejoint Paul au salon. Claire vient d'appeler. Elle ne va pas très bien, j'ai l'impression. Paul a pris les mains d'Irène au creux des siennes. Qu'est-ce qu'on peut faire ? Qu'est-ce qu'on peut faire de plus ? Paul se ressaisit. On peut faire plus. On peut l'aimer encore. L'aimer encore, c'est l'aimer un peu plus. Il n'y a que ça à faire. C'est-à-dire ne rien faire. L'aimer comme on l'a toujours fait. Irène demande si c'est comme ça qu'il fallait l'aimer, si on n'aurait pas pu s'y prendre autrement. Elle se demande s'ils ont su s'y prendre. Sans doute que non. Sinon Loïc ne serait pas. Ne serait pas quoi ? Rien, je ne sais pas. Paul prend son visage dans ses mains. Il dit à Irène qu'il l'aime. Il dit : tu n'as qu'à inviter Claire à venir ce week-end. Enfin, propose-lui. Si elle se sent seule. Seulement si elle veut. Je ne veux pas l'embêter. Il ne faut pas qu'elle se sente obligée. Elle a sûrement mieux à faire.

Il fait froid pour la saison. Julien a mal dormi. Il s'est levé trop tôt et n'a pas envie d'arriver le premier au bureau avec son seul Macintosh pour lui souhaiter la bienvenue. Hier soir, ça s'est mal passé. Julien a encore trop parlé. Visiblement il a
5 emmerdé tout le monde avec ses histoires de roman, ses aventures en Picardie, ses trajets en train avec Mr. Maggoo et la gueule de bois, à préparer des réunions en essayant de ne pas vomir sur les beaux sièges du TGV Paris-Montélimar, avec le soleil trop franc quand on arrive, les bises trop claquantes, les
10 sourires trop clairs et gratuits, l'accent trop joyeux, l'air trop heureux et compatissant des locaux à l'arrivée des Parisiens pas très frais, tout froissés, le grand chef prompt à retrouver l'accent, celui qu'il avait quand il habitait dans le coin, s'occupant d'un théâtre ou élevant des chèvres, avec la bonne humeur
15 naturelle, et lui qui n'a jamais rien compris à la jovialité[1], dont les sourires ont l'air de grimaces, n'en ont pas seulement l'air, en sont.

Avant de rejoindre la station de métro, Julien prend un café croissant à la brasserie du coin. Le croissant s'effrite et le gar-

1. Humeur joyeuse.

çon a renversé un peu de café sur la soucoupe en déposant la tasse sur la table marron. Julien a mal au cœur. Claire aussi, qui se cache derrière son *Libé*, assise au fond, là-bas, sous le grand miroir au cadre doré. Pour se donner une contenance, Julien essaie de s'accrocher aux branches des lignes d'un livre. Il n'arrive pas à saisir le sens des phrases qu'il relit sans cesse. Ça n'avance pas cette histoire. Il n'est pas certain que Claire, de son côté, comprenne vraiment quelque chose à l'éditorial de Jacques Amalric. De toute façon, elle est comme lui. Elle préfère Mathieu. Quand le regard de Julien croise le sien, elle lui fait un petit sourire. Un sourire de rien. Très léger dans le matin nauséeux. Mais quand même, c'est déjà ça de pris. Ce signe de reconnaissance. Entre paumés du petit matin, sortis du rôle emprunté de la caissière aimable et du client timide. Elle pose sans bruit des pièces argentées près du cendrier vert bouteille et se lève. Julien reste un peu. Il la suit du regard se faufilant entre les tables, frôlant les gros et les vieux accoudés au comptoir. Elle s'en va, regagne sa caisse, un peu plus haut sur le même trottoir. Il est bientôt neuf heures. Julien a encore un peu de temps. C'est ainsi. On commence plus tôt chez Shopi que dans la culture. C'est au moins un des avantages du métier. Ça et avoir l'air intelligent. Ou en tout cas être précédé par la réputation de l'être. Dans son cas, Julien pourrait rajouter : être payé à écrire, ce qui pour lui est proche du luxe. Malheureusement, il ne s'agit pas seulement de cela. Ce serait trop beau. Quand Julien arrive, chacun est plongé dans son journal, ses papiers ou ses rêveries. Celle qui partage son bureau est déjà pendue

au téléphone. Julien fait une tournée de café, ce qui lui permet de gagner dix minutes de silence et de somnolence tiède. La journée s'annonce tranquille. Pas de rendez-vous, pas de
50 réunion. Un programme à rédiger. Dans chaque page, il tente de glisser au moins une coquetterie, une tournure un brin aventurière. Le résultat n'est pas beau à voir, mais a le mérite de faire se marrer Étienne, qui se détend un peu, arrête de faire les cent pas, de triturer sans fin le zip de son gilet noir et moulant, et
55 laisse Julien se moquer de ses phrases un peu abstraites, style froid aux mots étrangement métalliques. Au hasard on note un nombre étonnant d'occurrences[1] pour phasage[2], méthodologie, grille d'analyse, aide à la décision, préconisation, perspective, diagnostic, qualitatif, quantitatif, composantes, modalités,
60 orientations, opérationnel, comité, pilotage, élaboration, axes d'étude, ordonnée, descriptif, explicitation, stratégie, conception, éléments, contraintes, modalités, validation, attractivité, réactivité, directif, semi-directif, dysfonctionnement, positionnement, récurrent[3], émergeant, potentiellement, segmenta-
65 tion[4], budget prévisionnel, maîtrise, pérennisation[5], faisabilité, implications. Tout ça pour l'art et la littérature…

---

1. Apparitions d'un même mot.
2. Ensemble de plusieurs phases (étapes).
3. Répétitif.
4. Division.
5. Maintien.

Julien aurait peut-être dû se taire. Bien sûr, il a raconté à Lionel son projet d'écrire un texte sur « la caissière de chez Shopi ». Il lui a dit aussi que sans savoir pourquoi, elle lui inspirait quelque chose. Qu'il avait déjà aligné quelques pages, autour d'elle, de sa silhouette, de l'idée qu'il se faisait de cette fille un peu mystérieuse, un peu décalée, très douce et souriante. Lionel n'a pas résisté. Il a cherché Claire du regard, aux caisses du Shopi de la rue des Martyrs. Il venait pour acheter du vin, avec Aude. Il l'a vue. « Je l'ai vue », a-t-il dit à Julien. Juste ça. « Je l'ai vue. » Il avait un petit sourire que Julien n'a pas su décrypter.

Quelques jours plus tard, Lionel posait ses courses sur le tapis roulant. Aude était de l'autre côté, à tenter de décoller le plastique trop fin des sachets publicitaires. Lionel a hésité et puis a fini par aborder Claire. Dis-moi, si tu n'as rien de prévu, ce soir, on t'invite à une petite fête. Une soirée toute simple. Chez ma sœur. Claire a accepté. D'accord, on passe te prendre ici à vingt heures. Claire a été un peu étonnée par cette proposition. Mais elle n'avait pas envie de passer la soirée toute seule. Et puis elle avait déjà remarqué ce couple qui ne venait au Shopi que pour acheter du bordeaux, afin d'arroser quelques réunions obscures et alcoolisées. Elle avait de la sympathie pour eux. Sans preuve. Juste une intuition.

Ce soir-là, Julien n'est pas bien. Sa journée au bureau a été
25 chargée. De travail et d'électricité. D'engueulades en tout genre, d'angoisses diverses. De délais à respecter, de fournisseurs irrespectueux, de défections[1] successives. Il a fini tard et épuisé. Lorsque tout s'accélère ainsi, lorsqu'il est obligé de s'investir dans ce qu'il fait, dans son travail, Julien ne supporte pas. Il
30 n'est pas de taille. N'a pas la carrure ni les épaules. Et encore moins le goût ou la motivation. Ça lui donne immanquablement envie de mourir. Immanquablement. C'est toujours dans ces moments que, sans raison, les larmes lui montent aux yeux sans jamais en sortir. Que l'idée de se donner la mort se fait
35 plus précise, aguicheuse[2], raisonnable. Et c'est ce qui le fait tenir. L'idée que s'il ne tient pas, s'il n'est pas à la hauteur, si on vient l'engueuler, pfuit, il se barre. La lâcheté lui donne un peu de courage. Julien a claqué la porte de bois clair avec la plaque où figurent le nom et le logo de l'entreprise. Il descend les esca-
40 liers sans allumer la lumière. Il sort. Rue du Pont-Neuf, la vie s'agite. Le café d'en face. Fred et sa moustache. Les fleurs. Julien en a marre de prendre le métro. Il décide d'aller à pied du bureau jusqu'à chez Carole. Par la rue du Faubourg-Montmartre. C'est tout droit.

1. Abandons.
2. Séduisante.

Julien a fumé cigarette sur cigarette, en marchant. Il se sentait au bord des larmes, son corps tremblait et il avait froid. Ses nerfs le lâchaient un à un. À chaque fois qu'une voiture passait, Julien se voyait très précisément se jeter sous elle et se faire rouler dessus. Il hésitait, même. Le pas trop rapide pour être serein, les mains mal contrôlées, les mots murmurés au bord de la bouche, sortant presque d'entre les dents serrées, Julien pensait au prix Goncourt[1]. Il se disait « tiens jusque-là, torche ton bouquin, chope le prix Goncourt et basta. Tu te barres dans le Cotentin et tu écris. Tu prends des avions, des trains ou des chemins. Des lignes de fuite. Tu prends du temps. Tu en voles. Sans rien dire à personne. Contrebandier. Sale gosse. Tu emmerdes le travail, tu encules la vie active. Tu l'as toujours dit : tu es pour la vie passive ». S'approchant de la rue Lamartine, Julien sait que l'alcool sera triste, qu'il ne dira pas un mot. Il sait que la moindre remarque, la moindre discussion tendue, la moindre contrariété l'abattra sans hésitation, sans remords. Arrivé chez Carole, Julien tente de sourire, de dire bonjour, oui je veux bien, une vodka. Puis il plonge son

1. Prix littéraire récompensant des auteurs français ou francophones. Créé en 1896 sur proposition testamentaire d'Edmond de Goncourt.

20 nez dans les olives et les Chipster. Sous le plafond au crépi grossier d'où émergent de lourdes poutres vernies, entre les murs où se succèdent d'assez grandes affiches de cinéma, les conversations vont bon train. Affalé sur le canapé noir ou dans les chaises Habitat, assis sur la moquette, on parle entre deux
25 Chipster, on rit entre deux verres, on boit plus qu'on ne devrait en écoutant Miossec, PJ Harvey ou Yann Tiersen. Julien a repéré ce type, debout à fumer des Lucky Strike, près de la fenêtre. Son air dur, son air supérieur. Julien se sent mal à l'aise. Il ne saurait vraiment dire pourquoi, mais le regarder lui donne
30 envie d'aller mourir quelque part, dans un trou tout petit. Quelqu'un renverse du vin rouge sur la moquette. Il se fait gentiment huer. On le moque sans méchanceté. Carole va chercher du sel. Par-dessus la tache, elle figure un petit mont Fuji[1].

1. Montagne du Japon au sommet couvert de neige.

Quand ils sont entrés, Lionel a lancé un clin d'œil à Julien. Claire, très timide et très belle, les suivait. Lionel a fait les présentations, Claire a dit « mais on se connaît » et puis elle s'est assise à côté de Julien. L'autre type a tout de suite quitté sa fenêtre, et s'est approché. Il a composé son plus arrogant sourire de jeune architecte et s'est présenté comme tel, dévisageant Claire, la scrutant de bas en haut, l'évaluant, posant son regard suffisant sur ses jambes nues, tentant la bave aux lèvres de jauger ses petites fesses. Quand elle se baisse pour ramasser son verre, il tente d'apercevoir ses seins, son soutien-gorge. Ce type porte une énorme gourmette, une chevalière, il parle, il parle, et plus il parle, plus Julien a envie de mourir. Ce type regarde Claire et plus il la regarde, plus Julien a envie de lui vomir sur la gueule. En attendant il enchaîne les vodkas et les whiskies.

De leur côté Lionel, Christelle, Aude et Carole ont été happés par une conversation. Quand ils en sont sortis, Julien était déjà bien trop parti pour parler de la situation, mesurer son incongruité[1], comprendre son intérêt. Claire était silencieuse, subissant la pensée pleine de trous et d'emphase[2] de son brillant

1. Inadaptation.
2. Exagération pompeuse dans le ton, le geste, dans les termes employés.

20 voisin. Profitant d'un rare silence, consenti entre deux aphorismes[1] et trois mots d'esprit, Claire s'est tournée vers Julien, lui a demandé ce qu'il faisait dans la vie. Julien s'est embrouillé, a essayé de dire cela doucement, sans prétention, sans rien d'ampoulé, mais rien n'y faisait, c'était ainsi. À chaque mot, il 25 la sentait intéressée, mais d'en dessous, en infériorité. Julien n'aimait pas ça, ne s'aimait pas. Il s'en voulait de ne pas trouver des mots simples pour désigner sa profession, pour expliquer en quoi elle consiste. Au lieu de ça, il se trouvait tout empesé[2], tout suffisant, à l'égal du connard d'architecte qui 30 bavait ses Wilmotte, ses Foster et ses Nouvel dans le cou de Claire. Celui-là, aux aguets, les oreilles traînantes, a demandé à Julien s'il comptait faire ça toute sa vie ou si c'était juste en attendant de trouver un vrai boulot. Julien s'est levé, a dit je m'en vais. Tu ne vas pas bien ? a demandé Christelle. Non, je 35 ne vais pas très bien, mais ça va passer. Ça tournait drôlement, ses pas étaient lourds dans l'escalier. Il s'est assis au fond de la cour, au milieu des plantes aussi grasses que vertes. Il a somnolé en pleurant. Ça faisait des siècles qu'il n'avait pas pleuré.

Ce type la regarde. Claire le voit bien. C'est un bourgeois. Il 40 doit avoir une Golf noire aux vitres teintées, jouer au tennis, être très méprisant, très libéral. Elle se demande ce qu'il fout là, ce type, au milieu de cette assemblée légèrement alcoolique,

---

1. Énoncés qui expriment des lieux communs.
2. Sans naturel.

plutôt rigolarde, plutôt tranquille, peuplée de gens qui lui ressemblent sans lui ressembler. Ils ont fait des études, ont des jobs passionnants ou font comme si. Ils ressemblent à Loïc, tous ces gens. Loïc aurait été bien parmi eux, aurait partagé leurs goûts, leurs idées politiques, leur aversion pour les conversations par trop rhétoriques[1], l'enculage des mouches. C'était un genre d'assemblée d'artistes ratés ou en devenir, d'artistes frustrés mais pas trop aigris, ni trop prétentieux. Il y avait là également le garçon qu'elle croisait de temps en temps, qui semblait un peu bizarre, égaré, et qui était parti d'un coup avec quelques verres de vodka de trop dans le nez. Mais ce type la regarde. Claire sait qu'il va l'aborder et qu'elle n'aura pas envie de le repousser gentiment. Ce genre de types, elle commence enfin à les connaître, à les repérer. Ils ne peuvent s'empêcher de penser que la petite caissière de chez Shopi, c'est une fille facile, une écervelée qui aime la bite, qui sera fière de se trimballer quelques jours au bras d'un type à gourmette, à vaste appartement, à week-ends à Deauville.

---

1. Des conversations qui ressemblent à des discours.

Tu crois qu'il n'est pas trop tard pour appeler ? demande Irène. Non, il n'est que onze heures. Ta fille, elle est jeune, elle sort, elle se couche tard. Enfin, j'espère. Irène décroche le téléphone. Bonjour, vous êtes bien chez Claire Tellier, je ne suis pas là pour le moment, laissez-moi un message. Irène connaît le petit enregistrement par cœur. Quand elle a offert le répondeur à Claire, c'était, sans se l'avouer vraiment, d'abord pour elle-même. Pour entendre la voix de sa fille même lorsque celle-ci était sortie. Il arrivait souvent à Irène d'appeler, sans laisser de message, en pleine journée, en milieu de semaine, alors qu'elle savait très bien que Claire était au boulot. Paul aussi faisait ça, mais il ne le disait pas à Irène.

Bonsoir Claire, c'est maman... Euh, bon tu n'es pas là, c'était juste pour te dire, si tu veux passer, ce week-end, c'est comme tu veux, ne te sens pas obligée, surtout. Mais ça nous ferait plaisir.

Irène a eu comme un frisson très froid au moment de prononcer cette dernière phrase, toute simple. Ça nous ferait plaisir de te voir. Elle regrettait déjà. Est-ce que ce n'était pas trop ? Trop quoi ? Je ne sais pas.

Ils sortent tous les deux en même temps. D'autres sont partis avant eux. Julien les voit, dans la lumière allumée de la cour intérieure. Le type la suit. Sa chemise est trop ouverte, il est un peu décoiffé. Sa peau est brillante. Il parle trop fort. Il demande s'il peut la raccompagner. Claire dit non. Ce type lui répugne, sa chaîne en or brille dans la nuit, il a des airs de financier, d'avocat, que sais-je. Il la regarde de haut. Trop mielleux, trop attentif. Il se force. Il veut tirer un coup. Tu es sûre ? Oui elle est sûre, répond Julien. L'architecte se retourne, essaie de le discerner, dans l'ombre caché.

– C'est quoi ton problème ?

– C'est juste que t'as l'air un peu sourd, alors je te répète ce que t'a dit la jeune fille : elle a dit qu'elle voulait pas que tu la raccompagnes.

Julien a pris une voix de camionneur, un ton de cinéma, un truc menaçant, énorme. Lui qui est aussi musclé qu'une éponge… Le type s'avance vers lui, un peu inquiet, assez méfiant. Puis il le voit et se rassure. Son arrogance[1] de jeune

1. Orgueil hautain.

architecte, de petit morveux, de bourgeois, de fils à papa
20 reprend ses droits, naturelle, comme chez elle, pas comme une
seconde peau, non, comme sa peau tout court, sa peau suintant la suffisance, la bonne santé démoralisante, les dents blanches, les cartes de crédit. Julien a pour ce type, à cet instant précis, une haine insondable, une haine qu'attise la vision
25 de son souffle putride de petit scout catholique mêlé à celui de Claire, une haine concentrée sur ce type et qui embrasse tous les types de son espèce, les conquérants, les sûrs d'eux, tous ceux qui nous marcheraient sur la gueule, qui croient dur comme fer qu'on mérite ce que l'on a et qu'on n'a que ce qu'on mérite.
30 Julien est assez fait pour se jeter sur lui. Il le mord au sang ce con, lui plante ses dents dans les os. Il hurle. Toutes les fenêtres s'illuminent. Claire a l'air épouvantée. Le type se barre en gueulant, en maudissant tous les petits branleurs de gauchistes, la petite garce et ses airs de sainte-nitouche. Claire est effarée. Elle
35 est près de Julien. Elle dit juste, avec sa voix si douce, son petit sourire, sa bouche très fine, son visage étroit, cerné de cheveux un peu roux, elle dit juste : on rentre ? Juste ça.

On rentre. Son appartement est très clair, même en pleine nuit. Au sol, c'est du bois vernis et les murs sont blancs, les meubles en pin. La pièce principale est presque nue. La cuisine est toute petite, la salle de bains étrangement vieillotte. Sa chambre consiste en un matelas à même le sol, une penderie et un placard dissimulés dans les murs blancs où s'éparpillent quelques photographies en noir et blanc, des affiches, des clichés de ses parents, une série consacrée à Loïc. Une galerie de portraits. Ces photos, Julien les regarde avec attention. Il lui semble reconnaître ce visage. C'est qui ? C'est mon frère. Il a disparu. Il s'est engueulé avec mon père et il est parti. On ne se quittait jamais. Je n'ai aucune nouvelle de lui.

Après ça, Claire et Julien sont face à face dans le salon. Ils sont assis en tailleur sur le tapis. L'histoire défile. Ils se touchent du bout des doigts. S'effleurent en tournant les pages des albums photo. Julien voit Paul, Irène, leurs sourires timides. Il reconnaît le quartier, le lotissement, la ville où lui aussi a passé ses vingt premières années. Cet endroit de rien. À partir duquel on pouvait tout inventer. Cette sensation de ne pas être chez soi, et *a contrario* d'y être un peu partout. L'incompréhension que cette ville oppose à la notion de racine, d'appartenance.

Loïc aussi, il le reconnaît, maintenant. Sur ces photos, il a quatorze ou quinze ans. Et Julien le reconnaît. Ce visage, cerné de cheveux courts, secs comme de la paille. Celui de Loïc, un copain d'Olivier, son petit frère. Julien se le rappelle vaguement. Il a dû venir à la maison, même. Ils se sont peut-être croisés dans le salon. Un téléphone qui sonne, Julien décroche, oui je te le passe. Olivier, c'est pour toi. Un certain Loïc Tellier. Julien en a croisé des tas comme il a croisé Loïc, et il les a oubliés. Mais celui-là, son visage est resté gravé. On ne sait pas pourquoi. Une sorte de magnétisme.

– Non, Claire, je n'en sais rien. Peut-être qu'ils se voyaient encore, de temps en temps, à cette époque-là. Je ne peux pas te répondre. Mais toi, tu devrais savoir ça. Tu ne le quittais jamais. Tu devais connaître ses amis. Pas tous ? Oui, je comprends. Je lui demanderai. À l'occasion. D'accord, je l'appellerai demain.

Claire dort. Elle a fermé les volets. Julien la distingue à peine. Avant de sombrer, elle a dit bonne nuit, a déposé un baiser sur sa bouche. Lui est resté assis sur le canapé. Il ne sait pas quoi faire. Il ne sait pas s'il doit la rejoindre ou s'il est censé pioncer là. Julien choisit de ne pas dormir, pour ne pas avoir à répondre à ces questions embarrassantes. Il s'en pose assez comme ça et qui le taraudent. Il en est une qui l'obsède et qu'il n'a osé prononcer devant Claire, qui tremblait en attendant que le jour se lève, avec l'espoir dérisoire de savoir quelque chose, qui a fini par se laisser envahir par la fatigue. Quelque chose que Julien tirerait de la bouche de son frère : Loïc est-il en vie ? Julien n'a pas formulé cette phrase à haute voix. Il a bien vu combien Claire était éprouvée par ce voyage très long, à rebours, cette plongée dans le passé. Il sent bien combien la déchirure est vivace sous la peau fine, sous l'épaisse couche de silence. Il sait aussi que chaque minute que Dieu fait, Claire se pose cette question sans le savoir, sans en avoir conscience.

Julien a un peu dormi. Il entend Claire qui se réveille au froissement de ses draps. Il est un peu tôt pour téléphoner, mais Olivier est levé. La fac, à l'autre bout de Paris, l'oblige à se lever à des heures matinales et qui ne lui conviennent pas. Non, il ne fréquente plus Loïc Tellier depuis des siècles. Après la troisième, ils se sont perdus de vue, se sont recroisés quelquefois, n'échangeant qu'un rapide hochement de tête. Non, il ne connaissait personne de son entourage. Oui, je viens ce week-end. Je passerai, en tout cas, tu le diras à maman, d'accord ?

Julien embrasse Claire sur la joue. Ils se retrouveront demain, chez ses parents, vers trois heures de l'après-midi. Il passera la chercher. Ils iront marcher un peu.

Devant la tombe de Loïc, un grand vertige le saisit. Loïc est enterré à côté de ses grands-parents ; Jean et Nadine Tellier. Il n'y a pas de photo, pas de plaque, juste des fleurs, dont on devine qu'elles ont été placées là récemment. C'est le matin. C'est un samedi. La forêt est juste derrière, avec son odeur de terre mouillée, de bois pourri.

En arrivant à Juvisy, Julien a pris le car qui mène à Mainville. Il a marché jusqu'à la maison de Claire. Il avait rendez-vous dans l'après-midi. Mais il voulait voir où elle habitait. C'est une maison discrète, pareille à ses voisines. Modeste. Effacée. Julien a la gorge nouée devant cette maison. Il connaît un peu de l'enfance qui s'y est jouée. Il connaît le visage de celle qui a grandi là. Il sait sa douceur, a entrevu sa peau, a posé ses lèvres sur ses joues très pâles. Elle le touche profondément, l'ébranle. Julien a fait le chemin inverse et a longé la forêt. Le cimetière était caché là, pas loin. Il a pensé à sa grand-mère. La mère de sa mère. Il a très peu de souvenirs d'elle. Juste les photos. De toute manière, il a très peu de souvenirs de son enfance. Juste les photos. Ce qui reste gravé, c'est la tendresse. Une sensation presque physique. Il entre. Il ne sait pas où est sa tombe. Julien n'est pas rentré dans ce cimetière depuis l'enterrement, il y a dix, quinze ans, il ne sait pas trop. Il a parcouru les allées en scrutant les noms. Il est tombé sur celui-ci :

Loïc Tellier
1978-1996.

25

Il est bientôt quinze heures et la pluie a rendu les rues tristes et froides, luisantes comme un poisson. Julien fait les cent pas, il en a déjà fait des milliers, tout près de chez elle. Et il ne sait pas quoi faire.

5 Il est bientôt quinze heures. Julien pense à être lâche. À faire l'autruche. La conne d'autruche. Il s'éloigne, décidé. Mais chacun de ses pas le trahit. Un peu moins ferme, un peu moins franc, Julien avale chaque mètre avec un peu moins de conviction. Même la lâcheté s'étiole. Fane.

10 Il est bientôt quinze heures. Des voitures passent et l'éclaboussent. Le bas de son pantalon est humide, colle aux mollets. Julien y retourne. Il entre dans la résidence. Il croise quelques gamins en patins à roulettes. Il y en a un qui tombe dans une flaque. Son frère l'engueule. Il pleure.

15 Il est bientôt quinze heures. Julien est devant la porte. Il regarde la petite étiquette au-dessus de la sonnette. « Paul et Irène Tellier et leurs enfants. » Il a le ventre noué, la gorge serrée. Il tremble. Par la fenêtre, on voit passer des ombres.

Julien sonne. Claire n'est pas encore là. Elle est sortie marcher un peu en forêt, lui dit Irène. Irène le scrute et le détaille, un peu surprise, méfiante. Elle le fait entrer. Paul lui serre la main. Avec chaleur, semble-t-il.

– Vous connaissez Claire depuis longtemps ? Déjà, il regrette d'avoir posé cette question, se sent indiscret. Il rougit.
– Non, pas trop. Je l'ai rencontrée il y a quelques jours. À son retour de Portbail. Vous connaissez Portbail ?
– Oui. Un peu.

Julien est assis dans le salon. Irène apporte les cafés. Elle s'assoit sur le large accoudoir du fauteuil en cuir. Elle s'appuie sur l'épaule de Paul. Le silence est là, bien installé entre eux. Mais il ne pèse pas. La lumière diagonale entre et se cogne au tapis, dessinant en ombres chinoises les croisillons des fenêtres.

– Vous connaissiez D. ?

– Oui. J'y ai habité. Mes parents sont en centre-ville. J'ai pas mal de famille ici. Ma grand-mère est enterrée pas loin. Juste à côté. À Sénart. J'y suis allé, juste avant de venir ici. J'étais en avance. Je n'y étais pas retourné depuis l'enterrement. Je me suis un peu perdu. Au milieu des tombes. Et vous, vous habitez ici depuis longtemps ?

– Assez. Vingt-cinq ans bientôt…

Paul le jauge, voudrait d'un simple regard faire le compte de ce qu'il sait et de ce qu'il ignore.

– Et c'est quoi, votre nom de famille ? Depuis le temps qu'on habite ici, on connaît peut-être vos parents…

– C'est possible. Mon frère fréquentait un peu Loïc au collège.

Claire entre. Julien se retourne. Elle lui sourit. Putain ce sourire. À cet instant Julien jure que si quelqu'un s'avise de lui faire du mal, il lui éclate la gueule, il lui fait bouffer ses dents. Claire le bouleverse par la seule grâce de son sourire si mince.

– Eh bien, je vois que les présentations sont faites.

20 Gênés, comme pris en faute, Irène et Paul quittent le salon. En passant près de Julien, Irène lui serre le bras, avec un tremblement imperceptible. Paul le regarde. On les sent inquiets et confiants à la fois.

– On y va ? demande Claire.

25 – On y va.

Après-texte

POUR COMPRENDRE

Étape 1 L'ouverture du roman et les « horizons d'attente » 144
Étape 2 L'intrigue, les lieux et le traitement du temps 146
Étape 3 Les personnages et la société 148
Étape 4 La clôture du récit et les effets de style 150
Étape 5 Les visées de l'auteur 152
Étape 6 L'adaptation cinématographique de l'histoire 154

GROUPEMENT DE TEXTES

Disparitions… 156

INFORMATION/DOCUMENTATION

Bibliographie 160

L'OUVERTURE DU ROMAN ET LES « HORIZONS D'ATTENTE »

Lire

Le titre du livre et le genre narratif

1 En quoi le titre est-il surprenant ?

2 Que suggère-t-il sur l'histoire ? Dégagez le sous-entendu.

3 De quel genre narratif relève l'ouvrage ? Est-ce une histoire vraie ou une fiction ?

L'énonciation du récit

4 Quel est le statut du narrateur ? Est-il un témoin, un personnage de l'histoire, une « voix effacée » ? Justifiez votre réponse.

5 À quel temps dominant sont conjugués les verbes ? Quel effet produit son emploi ?

6 De quel point de vue (interne, externe ou omniscient) sont racontés les événements ? Pourquoi ?

Les personnages

7 Nommez l'héroïne et exprimez les connotations que suggère son prénom.

8 Présentez-la professionnellement, physiquement et psychologiquement. Appuyez-vous sur des citations significatives. En quoi pourrait-elle aussi représenter une « antihéroïne » ?

9 Quel autre personnage est présent ? Page 9, ligne 11 : relevez les deux temps verbaux qui lui sont associés. Que suggère la phrase sur les relations entre ces deux personnages ?

10 Pourquoi les autres personnages ne semblent-ils être que des « figurants » ? Que révèlent-ils cependant sur la société où évolue la jeune fille ?

Les cadres spatio-temporels

11 Quels sont les différents lieux cités ? Sont-ils décrits avec précision ?

12 Que suggèrent ces lieux sur l'époque et l'environnement de l'héroïne ?

Les actions

13 Citez les deux premiers gestes de Claire. En quoi symbolisent-ils un début de roman ?

14 Les faits rapportés vous semblent-ils « romanesques » ?

15 En quoi, cependant, ces faits incitent-ils à poursuivre la lecture ?

L'écriture

16 Quel effet produit le détachement de la première phrase ?

17 Analysez la construction des phrases. Sont-elles simples ? complexes ? Leurs propositions sont-elles surtout juxtaposées, coordonnées, subordonnées ?

18 De quelle nature est le lexique : simple ? recherché ? Donnez des exemples.

Écrire

Écrit fonctionnel

19 En une dizaine de lignes, exprimez les « horizons d'attente » que vous suggère ce début de roman. Lorsque vous aurez lu l'intégralité de l'histoire, revenez sur ces premières impressions de lecture et vérifiez si vos intuitions étaient justes.

Commentaire

20 Rédigez le commentaire de l'ouverture du roman. Montrez en quoi ce début de récit peut sembler, à certains égards – par les lieux de l'action, les portraits des personnages, les événements racontés et le style de l'écrivain –, « antiromanesque ».

Chercher

21 L'ouverture d'un roman est aussi appelée incipit. Cherchez l'origine étymologique de ce terme. Expliquez-le. Trouvez son contraire. Proposez des synonymes.

Oral

22 Vous avez aimé ou vous n'avez pas aimé ce début de roman. Sous la forme de joutes oratoires, par binôme, confrontez vos opinions opposées et argumentez vos points de vue.

À SAVOIR

L'OUVERTURE D'UN ROMAN

Comme la ou les scènes d'exposition au théâtre, l'ouverture d'un roman crée chez le lecteur des horizons d'attente qui seront confirmés ou infirmés par la suite de la lecture.
L'ouverture renseigne sur les lieux et l'époque de l'histoire. Elle présente souvent la ou les personnages principaux et fournit parfois des indices sur l'intrigue romanesque. Elle suggère aussi le registre narratif de la fiction : merveilleux, fantastique, réaliste, etc.
L'ouverture montre aussi certaines caractéristiques stylistiques de l'auteur et doit inciter à poursuivre la lecture. Si l'ouverture ne séduit pas, le livre sera vite refermé !

L'INTRIGUE, LES LIEUX ET LE TRAITEMENT DU TEMPS

Lire

1 Complétez ce tableau au cours de votre lecture.

	Chap. I	Chap. II	Chap. III	Chap. IV
Repères de lieux				
Repères de temps				
Événements « moteurs »				

Les repères de lieux

2 Classez les lieux dans les groupes suivants : lieux de travail, d'habitation, de loisirs.

3 Analysez leurs oppositions géographiques, sociales, générationnelles.

4 En quoi révèlent-ils psychologiquement les personnages ?

Les repères de temps

5 Sur combien d'années l'histoire se déroule-t-elle ? Relevez les dates. À quel mois et sur combien de jours se déroule l'intrigue proprement dite ?

6 Montrez que le roman commence *in medias res* et donnez des exemples d'ellipses narratives. Comment sont-elles suggérées visuellement ?

7 Quel chapitre développe un retour en arrière ? Existe-t-il, à l'intérieur d'un même chapitre, d'autres retours en arrière ? Quels sont leur intérêt pour l'intrigue ?

8 L'époque est-elle contemporaine de celle du lecteur ? Quels autres indices suggèrent cette époque ? Donnez des exemples.

Les événements de l'intrigue

9 Donnez un titre à chaque chapitre pour rendre compte de la progression de l'intrigue.

10 Le dénouement de l'histoire est-il ouvert ? fermé ? Justifiez votre choix.

11 Comment qualifieriez-vous les événements ? Pourquoi Olivier Adam est-il considéré comme un écrivain « minimaliste » ?

12 Quelle catégorie de roman ces événements évoquent-t-ils : un roman d'aventures ? sentimental ? social ? de filiation ? policier ? de science-fiction ? Plusieurs réponses sont possibles. Justifiez.

13 En quoi ces événements montrent-ils que le récit est réaliste ?

14 Quel événement de l'intrigue vous a le plus touché ? Argumentez votre réponse.

Écrire

Résumé

15 Racontez, en une dizaine de lignes, l'histoire du roman. Suivez la linéarité chronologique des événements. Respectez la situation d'énonciation de l'œuvre : emploi de la 3e personne, présent de l'indicatif. Évitez tout jugement personnel.

Chercher

16 Illustrez votre résumé par des photographies ou des œuvres picturales qui suggèrent les lieux du roman. Vous pouvez aussi réaliser ces images par vous-même. Légendez par des citations du livre, sans oublier de présenter les sources.

Oral

17 Sous la forme d'un exposé, présentez un des lieux du roman. Situez-le géographiquement et décrivez-le précisément grâce aux informations de l'histoire. Démontrez que ce lieu n'a pas seulement dans le récit une fonction pittoresque mais qu'il influe sur les événements et les personnages.

À SAVOIR

LE TRAITEMENT DU TEMPS DANS L'HISTOIRE ET DANS SA NARRATION ROMANESQUE

Dans une histoire, les événements se déroulent selon une chronologie linéaire de leur début jusqu'à leur fin.
Cependant, le romancier peut choisir de bouleverser l'ordre chronologique des faits. Il peut, dans sa narration, commencer l'histoire *in medias res*, c'est-à-dire « au milieu », alors que des faits importants se sont déjà déroulés. Il peut aussi commencer par la fin...
Le romancier opère alors des retours en arrière (analepses) ou des anticipations (prolepses). Il peut aussi réaliser des sauts dans le temps et taire des faits importants. Ce sont des ellipses narratives.
Ainsi, le traitement du temps dans la narration correspond-il rarement à la linéarité du temps de l'histoire.

Lire

1 Complétez le tableau au fil de votre lecture. Pour chaque personnage, citez son nom ou l'expression qui le désigne. Caractérisez ses relations avec l'héroïne, sa situation sociale et professionnelle.

	Chap. I	Chap. II	Chap. III	Chap. IV
Personnages principaux				
Personnages secondaires				
« Figurants »				

Comme des actants

2 Selon quels critères avez-vous distingué les personnages principaux et secondaires ?

3 Construisez les schémas actantiels de Claire, Paul, Irène et Julien. Qui est sujet et objet ? Pourquoi ?

4 Quel personnage, pourtant absent, influe sur l'intrigue ? Comment ?

Comme des personnes « réelles »

5 En quoi les personnages sont-ils décrits comme des individus « en chair en os » ?

6 Analysez la souffrance de Claire : ses causes, ses manifestations physiques et mentales. En quoi sa relation avec son frère est-elle fusionnelle ?

7 Comment jugez-vous l'attitude des parents vis-à-vis de la jeune fille ?

Comme des stéréotypes sociaux et des symboles

8 En quoi certains personnages incarnent-ils des types de la société d'aujourd'hui ?

9 Selon le romancier, leur origine sociale détermine-t-elle en partie leur comportement ?

10 Pourquoi, cependant, ces personnages ne sont-ils pas des caricatures ?

11 Quelles valeurs positives incarnent les parents et les grands-parents de Claire ?

12 À quelles autres valeurs, plus négatives, s'opposent-ils ? Argumentez.

Écrire

Écrit d'invention

13 Claire vient de comprendre que son père écrivait lui-même les lettres de son frère. Dans son journal intime, elle raconte comment elle a découvert son stratagème et elle exprime, dans un premier temps, sa colère devant le mensonge de son père. Puis, dans un second temps, elle lui pardonne tout en restant convaincue que son frère est vivant.

Chercher

14 Citez quatre auteurs du XIXe siècle qui ont, dans leurs œuvres, présenté un tableau historique et social de leur époque. Deux d'entre eux ont écrit des sommes romanesques dont l'un, une véritable saga familiale. Donnez leur titre et présentez-les.

Oral

15 Organisez un débat sur le thème suivant : a-t-on le droit de mentir pour protéger une personne qui nous est chère ? Faut-il au contraire dire la vérité au risque d'augmenter sa souffrance ? En vous appuyant sur le roman, défendez votre opinion.

À SAVOIR

LES PERSONNAGES DES ROMANS RÉALISTES

Les personnages des romans réalistes sont présentés comme des personnes réelles même s'ils sont des êtres de fiction nés de l'imaginaire de leur auteur. Ils possèdent une identité, sont décrits physiquement, psychologiquement, socialement, professionnellement...
Mais ces personnages sont aussi des actants. C'est-à-dire qu'ils influent, par leurs actions, sur le cours de l'histoire. Leur statut actantiel peut varier au fil de l'histoire : sujet, objet, allié ou opposant du héros.
Enfin les personnages incarnent des stéréotypes sociaux symbolisant les valeurs de leur société.
Ces personnages permettent au lecteur de s'identifier à eux et de réfléchir à ses propres comportements et engagements.

LA CLÔTURE DU RÉCIT ET LES EFFETS DE STYLE

Lire

Page 138, lignes 1-18 : comme des versets poétiques

1 Que remarquez-vous sur la mise en page de ce passage ?

2 Comment le romancier rythme-t-il ses paragraphes : relevez les anaphores, analysez le type, la structure et la ponctuation des phrases.

3 Quel topos littéraire exploite l'écrivain ? Analysez l'originalité de son traitement (niveau de langue, écarts stylistiques). Identifiez des figures de style.

Page 139, lignes 19-32 : comme des dialogues « silencieux »

4 Distinguez les discours rapportés au style direct et leurs modalités de présentation.

5 Citez un monologue intérieur énoncé au style indirect libre. Comment l'avez-vous identifié ?

6 Montrez l'importance des regards, des gestes et des silences.

7 Commentez les images poétiques de la dernière phrase. Qu'augurent-elles de la fin de l'histoire ?

Page 140, lignes 1-25 : comme des non-dits enfin révélés

8 Dévoilez ce qui se dit implicitement entre le père de Claire et Julien.

9 Comment Julien s'y prend-il pour faire comprendre qu'il « sait » ? Quel rôle jouent les points de suspension ?

10 Quel sentiment ressent Julien à l'apparition de Claire ? Quels procédés font partager l'intensité de l'émotion du jeune homme ?

11 Citez des mots qui montrent les réactions ambivalentes des parents.

12 Commentez les emplois de « on » et « y » dans les deux dernières répliques. Que suggèrent-ils sur la fin de l'histoire ?

Écrire

Dissertation

13 Olivier Adam, au cours d'une interview, analyse son style en ces termes :

« La fluidité apparente, la sobriété de mon écriture, c'est une pure question esthétique, presque éthique. J'ai du mal avec les phrases qui veulent signifier leur élaboration en elles-mêmes. Si je n'ai rien contre la jolie phrase, j'en ai contre celle qui se montre, laborieusement littéraire. [...] Je suis partisan de l'économie de moyens. C'est la poésie que je cherche, le moteur de la parole, de la voix, de la pensée en marche. »

Pensez-vous que le romancier explique avec justesse sa manière d'écrire ?

Brighton Hove Libraries
Tel: 01273 290 800
Welcome to Hove library self service

Borrowed Items 22/02/2023 15:28
XXXXXXX3918

em Title	Due Date
Je vais bien, ne t'en fais as	15/03/2023
Grosse elbstrasse 7 - las schicksal einer amilie	15/03/2023

Indicates items borrowed today

hank you for using Hove Library.

Renew your items Online at
www.citylibraries.info
or phone 0303 1230035

Chercher

14 Olivier Adam constitue fréquemment des listes d'aliments, d'habits, de musiques, de livres, de films pour caractériser les personnages et leur époque. À votre tour, constituez des listes pour vous présenter.

Oral

15 Pages 11-12 : théâtralisez ce passage du roman. Listez les personnages. Inspirez-vous du texte pour imaginer des répliques et des effets scéniques (déplacements, mimiques, intonation...). Préparez votre aire de jeu en choisissant quelques accessoires. Apprenez votre texte, costumez-vous... et jouez !

À SAVOIR

L'ANALYSE STYLISTIQUE D'UNE ŒUVRE

Elle peut porter sur :
– les niveaux de langue (soutenu, courant, familier). L'auteur les diversifie pour caractériser un personnage ou une situation ;
– la syntaxe. Les phrases sont verbales ou non verbales, courtes ou longues, simples (une proposition) ou complexes (plusieurs propositions juxtaposées, coordonnées ou subordonnées). Elles sont déclaratives, interrogatives, exclamatives, agrammaticales, interrompues, etc. ;
– le rythme. Il est produit par des répétitions, des parallélismes de construction, des assonances, des allitérations, la ponctuation, etc. ;
– les figures de style : comparaisons, métaphores, oxymores, hyperboles, litotes, gradation, etc. ;
– la mise en page. Le texte peut être composé de nombreux paragraphes aérés par des « blancs » ou au contraire sembler très dense.
Ces procédés d'écriture caractérisent la spécificité littéraire du texte. Ils induisent des effets de sens et contribuent à l'interprétation de l'œuvre.

Lire

Une enquête sociologique

1 Listez les différents groupes sociaux qu'Olivier Adam met en scène dans son roman.

2 Les comportements, les langages de ces groupes sociaux se ressemblent-ils ? Donnez des exemples.

3 De quel groupe social Olivier Adam semble-t-il le plus proche ? Argumentez votre réponse.

4 Pensez-vous que la représentation que donne l'écrivain de la société actuelle est juste ?

5. Vous reconnaissez-vous dans un de ces groupes ? Argumentez votre réponse.

Un récit de filiation

6 Expliquez le terme « filiation ». Qu'en concluez-vous sur les personnages principaux de ce genre d'histoire ? Est-ce bien le cas dans le roman *Je vais bien, ne t'en fais pas* ?

7 Claire et Loïc, bien que frère et sœur, se ressemblent-ils ? Justifiez votre réponse.

8 Comparez les relations des deux jeunes gens avec leurs parents. Sont-elles semblables ?

9 Quels points communs apparaissent entre les comportements du père et du grand-père ? En quoi ces ressemblances expliquent-elles en partie les réactions du frère de Claire ?

10 Les femmes, dans ce roman, sont-elles présentées de la même manière ? Justifiez.

11 Que représente pour Claire sa famille ? et pour Loïc ?

12 Le regard que porte l'auteur sur les relations familiales est-il plutôt négatif ou positif ? Argumentez.

Un roman d'amour

13 Quelles histoires d'amour Olivier Adam mêle-t-il dans son roman ? En quoi se distinguent-elles les unes des autres ?

14 Laquelle semble la plus passionnelle et fusionnelle ? Vous semble-t-elle vraisemblable ?

15 Quel jugement portez-vous sur la relation amoureuse qui se noue entre Claire et Julien à la fin du roman ?

16 Quel genre d'amour critique l'auteur ?

17 De quel « amoureux » Olivier Adam vous semble-t-il le plus proche ? Argumentez.

Écrire

Écrit d'invention

18 Rédigez la lettre d'amour que Julien décide d'envoyer à Claire. Il lui rappelle certaines circonstances de leurs rencontres. Il tente de lui expliquer pourquoi il l'aime. Il lui révèle ce à quoi il rêve. Imaginez la réponse que pourrait lui adresser Claire.

Écrit d'argumentation

19 « Famille, je vous hais... ou je vous aime ! »
Dans une argumentation structurée, expliquez si, selon vous, la famille représente un refuge ou une prison. Illustrez votre argumentation d'exemples concrets.

Chercher

20 Quelle science médicale analyse les troubles psychologiques et physiques engendrés par certains non-dits familiaux refoulés ? Citez le nom du médecin qui a développé cette science et présentez les caractéristiques des thérapies proposées.

Oral

21 Lisez avec expression les lettres d'amour que vous avez rédigées, puis votez pour la lettre qui vous paraît la plus émouvante, la plus convaincante, la mieux écrite.

À SAVOIR

LES RÉCITS DE FILIATION

Certains récits, aujourd'hui – romans, autofictions ou autobiographies –, mettent en scène des histoires de famille où les personnages, à la recherche de leur propre identité, tentent de dénouer ou renouer les liens de leur filiation.
Influencés par la psychanalyse, des écrivains cherchent, par l'écriture, à faire remonter « à la surface », de manière fragmentaire, des souvenirs trop longtemps tus pour mieux s'en libérer. D'autres interrogent leurs spécificités culturelles et revendiquent leurs différences.
Ces récits, qui ne sont pas tous rédigés à la première personne, questionnent donc indirectement le lecteur sur ses propres origines, son histoire personnelle à la fois individuelle, singulière et collective.

L'ADAPTATION CINÉMATOGRAPHIQUE DE L'HISTOIRE

Cette étape repose sur l'étude comparative du roman d'Olivier Adam et du film éponyme, réalisé par Philippe Lioret (2006).

La première séquence du film

1 Sur quel événement commence le film ? À quel autre événement correspond-il dans le livre ? En quoi ces faits sont-ils, par conséquent, semblables et différents ?

2 Quels personnages apparaissent les premiers à l'écran ? Qui apparaît ensuite ? Nommez chaque personnage. Que constatez-vous ?

3 Ces personnages ressemblent-ils à ceux du livre ? Argumentez.

L'intrigue du scénario

4 Par quel autre épisode, non présent dans le roman, se poursuit l'histoire ? Comment était-il cependant suggéré dans le livre ?

5 À quelle séquence le film rejoint-il précisément le roman ?

6 Quelles différences existe-t-il toutefois dans les lieux ?

7 En quoi la fin diffère-t-elle ? Quelle information, ignorée du lecteur, le spectateur apprend-il ?

Les personnages et le casting des comédiens

8 Quels sont les personnages qu'a retenus le réalisateur ? Pourquoi, selon vous, le cinéaste en a-t-il réduit le nombre ?

9 L'héroïne du film a-t-elle exactement le même parcours que celle du livre ? Argumentez.

10 Pourquoi le réalisateur a-t-il voulu faire du frère et de la sœur des jumeaux ?

11 Quel est le seul prénom identique entre le roman et son adaptation ? Pourquoi ?

12 En dépit de ces différences, les relations entre les personnages, leurs sentiments sont-ils respectés ? Justifiez votre réponse.

13 Que pensez-vous des comédiens qui incarnent les personnages ? Correspondent-ils à l'image que vous vous étiez faite en lisant le livre ?

Les visées du réalisateur

14 Quel groupe professionnel, absent dans le roman, est dénoncé ? De quelle manière ? Dans quel but ?

15 La critique, dans le roman, de certains comportements sociaux est-elle aussi virulente que dans le film ? Argumentez.

16 Exprimez les messages sur lesquels se concentre surtout le réalisateur. Pourquoi le cinéaste a-t-il effectué ces choix ?

La bande-son

17 Sur quoi la bande-son repose-t-elle essentiellement ? En quoi est-elle bien choisie ? Quels autres éléments, en référence au livre, le réalisateur aurait-il pu introduire ?

Écrire

Écrit d'argumentation

18 Rédigez, pour le site de votre lycée, une critique cinématographique. Résumez l'histoire du film. Comparez-la ensuite au roman d'Olivier Adam en citant des références précises. Exprimez votre jugement : positif, nuancé ou négatif. Présentez votre texte comme un article de presse avec un gros titre, un chapeau, des intertitres. Soignez particulièrement votre accroche pour inciter votre lecteur à lire votre critique ainsi que sa « chute ».

Chercher

19 Recensez, à l'aide d'un dictionnaire, les termes utiles pour analyser une scène cinématographique.

Oral

20 Choisissez une séquence du film qui vous a particulièrement touché et présentez-la à vos camarades. Situez-la dans l'intrigue, nommez les comédiens qui incarnent les personnages, analysez quelques plans-séquences qui vous semblent intéressants, exprimez votre avis sur la bande-son...

À SAVOIR

LA FICHE TECHNIQUE DU FILM

Le film de Philippe Lioret sorti en salle en 2006 a été coscénarisé avec Olivier Adam.

Genre : drame

Durée : 100 min

Comédiens (rôles principaux) :

- **Mélanie Laurent, Élise « Lili » Tellier (césar du meilleur espoir féminin) ;**
- **Kad Merad, Paul Tellier (césar du meilleur acteur dans un second rôle) ;**
- **Isabelle Renauld, Isabelle Tellier ;**
- **Julien Boisselier, Thomas dit « Grenouille » ;**
- **Aïssa Maïga, Léa.**

Bande-son : Aaron, U-Turn (Lili)

DISPARITIONS…

« S'en aller, partir, disparaître… », tels sont les verbes qui évoquent souvent, par euphémisme, la mort. Car il s'agit bien toujours d'un « voyage » pour ceux qui nous quittent – irrémédiablement –, comme pour ceux qui demeurent.

Thème privilégié de la poésie lyrique, en vers réguliers ou en vers libres, ce « départ » peut cependant suggérer des sentiments bien divers où la douleur parfois se mêle au désir, à l'apaisement, voire à une certaine forme de sérénité.

Victor Hugo (1802-1885)

Les Contemplations, « Demain, dès l'aube… », 1856.

En 1843, Léopoldine, la fille de Victor Hugo, se noie avec son époux à Villequier, alors qu'elle n'a que dix-neuf ans et vient de se marier deux jours plus tôt. Le poète apprend son décès dans la presse cinq jours après le drame et il ne se rend sur sa tombe qu'en 1846. Un an plus tard, il rédige ce court poème autobiographique sans titre qui sera publié en 1856 dans son recueil poétique, *Les Contemplations*.

Demain, dès l'aube, à l'heure où blanchit la campagne,
Je partirai. Vois-tu, je sais que tu m'attends.
J'irai par la forêt, j'irai par la montagne.
Je ne puis demeurer loin de toi plus longtemps.

Je marcherai les yeux fixés sur mes pensées,
Sans rien voir au dehors, sans entendre aucun bruit,
Seul, inconnu, le dos courbé, les mains croisées,
Triste, et le jour pour moi sera comme la nuit.

Je ne regarderai ni l'or du soir qui tombe,
Ni les voiles au loin descendant vers Harfleur,
Et quand j'arriverai, je mettrai sur ta tombe
Un bouquet de houx vert et de bruyère en fleur.

Henri Michaux (1899-1984)

« Mes propriétés » extrait de *L'Espace du dedans*, © Éditions Gallimard.

Le poème d'Henri Michaux, « Emportez-moi », extrait du recueil *Mes propriétés* (1929), exprime le désir d'un départ dans *L'Espace du dedans*, pour reprendre le titre de l'ouvrage qui rassemble ses écrits de 1927 à 1956. Un voyage vers une mort aux multiples facettes nées de l'imagination tourmentée du poète.

Emportez-moi dans une caravelle,
Dans une vieille et douce caravelle,
Dans l'étrave, ou si l'on veut, dans l'écume,
Et perdez-moi, au loin, au loin.
Dans l'attelage d'un autre âge.
Dans le velours trompeur de la neige.
Dans l'haleine de quelques chiens réunis.
Dans la troupe exténuée des feuilles mortes.
Emportez-moi sans me briser, dans les baisers,

Dans les poitrines qui se soulèvent et respirent,
Sur les tapis des paumes et leur sourire,
Dans les corridors des os longs et des articulations.
Emportez-moi, ou plutôt enfouissez-moi.

Jean Tardieu (1903-1995)

« Le jeune homme et la mer » extrait de *Histoires obscures*,

Extrait du recueil *Histoires obscures* (1955-1960), le poème de Jean Tardieu « Le jeune homme et la mer » pourrait être le récit allégorique d'un parcours de vie qui entraînera inexorablement tout un chacun, vers « le fond des fosses bourdonnantes ».

La mer s'enfuyait devant lui
avec sa traîne de dentelles bruissantes
emportant ses bijoux ses voiles ses cailloux.

Il courut d'abord vivement
joyeusement, le vent du large
entrait dans ses poumons. Mais la frange d'écume
toujours courait un peu plus loin,
menu murmure d'ironie.

Comme un chasseur à la poursuite
d'une bête démesurée
il courut il courut longuement longuement
jusqu'à perdre le souffle et gagner le délire.
Le soir était tombé. Vint la nuit. Mais les vagues
avaient continué leur fuite dans le vent.

Disparitions...

On eût dit que la mer
avait oublié sa coutume
son rythme son repos ses soupirs ses marées.
Alors il courut haletant,
le cœur sur le point de se rompre,
le front près d'éclater, les pieds en sang.
Mais toujours mais toujours l'horizon reculait
et dans les astres se plongeait.

La nuit passa puis vint la première aube
une seconde nuit un second jour
et pendant douze jours et douze nuits
pour atteindre la mer il courut vainement.

Un soir cette plage sans fin
peu à peu descendant les rampes de soleil
l'entraîna jusqu'au fond des fosses bourdonnantes
d'un grand théâtre abandonné
où des foules de gens
en habits d'apparat couverts de coquillages
chantaient sans voix, dormant debout.
Quand les premiers accords sonnèrent dans l'orchestre,
alors la mer cessa de fuir devant cet homme
et sur lui referma lentement
sa robe immense et maternelle
et l'odeur de l'amour et le bruit des cailloux.

BIBLIOGRAPHIE DE L'AUTEUR

• Romans

– *Le Cœur régulier*, L'Olivier, 2010
– *Des vents contraires*, L'Olivier, 2009
– *À l'abri de rien,* L'Olivier, 2007
– *Falaises*, L'Olivier, 2005
– *Poids léger*, L'Olivier, 2002
– *À l'ouest*, L'Olivier, 2001

• Nouvelles

– *Passer l'hiver*, L'Olivier, 2004

• Romans jeunesse (Éd. L'École des loisirs)

– *Le jour où j'ai cassé le château de Chambord*, « Mouche », 2005
– *Comme les doigts de la main*, « Medium », 2005
– *Sous la pluie*, « Medium », 2004
– *La Messe anniversaire*, « Medium », 2003
– *On ira voir la mer*, « Medium », 2002

• Collectifs

– *Nouvelles migrations*, Page à Page, 2004
– *Tout sera comme avant*, Gallimard, 2004
– *Lettres de rupture*, Pocket, 2002

• Scénarios

– *Des vents contraires*, Jalil Lespert, 2011
– *Welcome*, Philippe Lioret, 2008
– *Maman est folle*, de Jean-Pierre Améris, 2007
– *L'Été indien*, d'Alain Raoust, 2007
– *Je vais bien, ne t'en fais pas*, Philippe Lioret, 2005
– *De retour*, Jalil Lespert, 2004
– *Poids léger*, Jean-Pierre Améris, 2003

Achevé d'imprimer en juin 2011 par «La Tipografica Varese S.p.A.», Varese
N° d'éditeur : 2011/718 - Dépôt légal : juin 2011
Imprimé en Italie